世界首位羽坛全满贯真诚告白自我锤炼之路：

「不是你今天感觉不好，就可以随随便便输掉的。」

直到世界尽头

Until the end of world

林丹 著

凤凰出版社

自序

北京奥运会夺冠后的第二天，曾有出版社委托朋友找到我，问可否愿意将那些年的故事结集成书？我没有多想，就婉拒了。一来，对25岁的我来说，著书立传离我太遥远。再者，我的人生才刚驶上高速公路，怎么就要开始回忆了呢？

从北京奥运会到今天，转眼又一个四年过去了。运动员这个职业，尤其是中国运动员，有时不得不用多少个四年，来衡量你职业生涯的长度。我们无奈着，却也更尊重它、珍惜它。

从北京到伦敦，12304公里。当伦敦刚刚入夜的时候，北京的天空正要微亮。而对我来说，从北京到伦敦的距离，是整整四年。它漫长难耐，又让你觉得只争朝夕。

三届奥运会，我用12年国手生涯证明，我依然是教练的首选，是可以让球迷放心的那个林丹。

2008年之后，我始终对自己的职业生涯抱有更多的期待。我拿下看似不可能的"全满贯"，成为这个星球上拥有最多荣耀的羽毛球选手。我的人生也更宽阔了，生命中不再只有羽毛球，还有家人、有朋友。在我与谢杏芳牵手走到第八个年头时，我们许下了对彼此未来的承诺。

在赛场上拼杀了这么多年，我早就学会了什么是宠辱不惊。男子单打从来不乏天王级的巨星，然而，在每一场看似是一对一的决斗背后，凝结了太多的情感与传奇。我发觉，我收获的不仅仅是多少个冠军头衔，更是那些人与事在我生命中留下的刻痕。

一年多以前，我在微博上征询大家的意见：如果有一本关于林丹的书籍，该叫什么名字才好？后来收到了不少热情的回复，给了我要与大家来分享这些故事的动力。

结果，因为奥运积分赛的开打，这事又搁置了下来。直到今年出征伦敦奥运会前夕，在各方朋友的助力下，才有了现在躺在你手中的这本纪念册。

对，我更愿意称它为"纪念册"。我不想高高在上地说教，也不想让人把我当作范本，造物主造就了不同的你我，就一定预设了无数种成功的可能。我只希望在有限的文字里，纪念我们走过的荣辱与共。

我只是普通人家的儿子，有着朴素的情感，和每个"80后"一样，我也爱看《机器猫》或是樱木花道，热爱生活，热爱一切新鲜的潮流，偶尔有点怀旧，年龄越大越常思考生命的意义。有一天晚上跟朋友聊起小时候打球的趣事时，我突然发觉那些故事中的主角如今都已散落在各地，有的甚至已经离开了羽毛球。某一刻，我说："好吧，我知道了，这本书就叫《直到世界尽头》。"因为他们实实在在地存在过、灿烂过，我们一起走过的岁月、那些共同的记忆，还会延续下去，直到世界尽头。

过去这么多年，你们在赛场上见证了不同时期的每一个我，那都是真实的林丹。每一次火热的比赛现场背后，也许隐藏着这个世界不为人知的冷酷；每一座冠军奖杯的取得背后，必定有更多的失败与曲折。满身风雨走到今天，是它们教会我怎样做一个更本色的自己。我也有伤心、失落、被误解的时候，我并不是拥有钢铁之躯的羽坛外星人。

12年国手生涯，我辗转于世界各地，几乎每个月甚至每个星期都会出现在不同的赛场。我扮演着中国羽毛球男单的头号人物，扮演着世界羽坛的“全满贯”。然而，我的舞台不应该只是那不到一平方米的领奖台。

多年来，繁忙的行程、密集的训练与比赛，让我鲜有时间可以静下来，与自己也与一路陪伴着我的你们谈谈心。

你们知道，我写微博有时都不用标点符号，因为那样更快。可当我坐下来，开始在时光隧道中遇见10年甚至20年前的自己时，光阴突然缓慢起来，定格在某一刻。这一幕幕交织的是一段奋斗史，更是点点滴滴的感动。如果你愿意，我打算慢慢说来给你听。

我没有华丽的辞藻，有的只是真诚、坦然与从容。这也是我作为一个羽毛球运动员、一个即将到而立之年的男人最朴实的心情实录。

从小到大，我就不是教练喜欢的“三好学生”。但是我跟我妈说：“没关系，美国有乔丹，中国有林丹。”人生如赛场，即使不被看好，也能实现反转。

直到几年前看到一本迈克尔·乔丹的自传——《我的天下》，我才开始觉得，与其说是老天选择了赋予我们不一样的使命，不如说是能力越大责任越大。对于我们热爱的运动，对于我们身处的时代，我们有着义不容辞的责任。

中国体坛有太多的后起之秀，他们不想成为第二个林丹或者第二个姚明、第二个刘翔，他们只想做自己。没错，每个人都是独一无二、不可复制的“自己”。

中国羽毛球队在青岛集训备战伦敦奥运会的时候，体能训练中经常会去爬崂山，这并不是我最擅长的。这些年来，总有新的目标在我的前方，让我没有一天不敦促自己向上攀登。即便我站上了世界之巅，心中也只剩下五个字——那又怎么样？

人生的精彩不在于你站得有多高，而在于生命的宽度。现在，我也想看看我左右的风景，甚至站在不同的角度回头看看来时的路。于是，我看到了你们，在我生命中为我欢呼、为我喝彩，抑或使我沮丧、使我受伤的你们。

就在我整理思绪与你们说这些话的时候，队医正在“蹂躏”我身上的每一块肌肉。每天训练后的放松时间几乎都在一小时以上，有时疼得我不得不停下来喘口气。这些年，最了解我的就是这副身板了，因为是“超级丹”，所以它也被要求像外星人一样无坚不摧。

与一生相比，过去的岁月只能算是匆匆片刻，我也不过是在羽毛球领域里做成了一些事情。现在，让我只做林丹，做回自己。那个从福建龙岩的小县城里走出来的小伙子，他平凡如你，正在书写未来。

林丹

CONTENTS

PART 1

梦想从上杭启程

01

上杭的童年时光

“现在，世界冠军林丹的扣球又成功了！”5岁的我学着宋世雄老师解说时的腔调，在沙发上手舞足蹈，又蹦又跳。电视里正在播的是女排世界杯的比赛。

有一天，我的启蒙教练陈伟华到我家来家访，刚一进门，就被眼前的这一幕惊呆了。这成为大人们对我的童年往事记忆最深刻的一幕，被他们津津乐道了许多年。

20世纪80年代出生的我们是伴随着“女排精神”成长起来的一代。“世界冠军”对于5岁的小男孩来说，就是这世界上最了不起的成就。在我只有羽毛球拍一般高的时候，就有了一个根深蒂固的梦想——成为世界冠军。

真的成了世界冠军后，很多人知道我是福建人，或者知道我来自八一队，但具体就不是很清楚了。其实，我出生在福建龙岩的上杭县，一个很小的县城。

后来长大一些，我知道上杭是革命老区，从这儿走出了多位将军。

家乡上杭。

毛主席的诗词“红旗跃过汀江，直下龙岩上杭”，写的就是我的家乡。

说起来，福建上杭古田是著名的红色革命老区，而我爸给我取名的时候，也带着当地的特色，跟这个“红”有不少关系。想来想去，起个什么名字呢？最后想了个“丹”字。父亲那一辈的人敬仰刘志丹等老革命家，也特别喜欢赵丹等老一辈电影演员，单名一个丹字又好记又好写，不管是男是女都能用。而且父辈觉得名字中有个“丹”，将来一定根正苗“红”，肯定有出息。

也是因为这名字男女都能用，大人们“丹丹、丹丹”地叫，妈妈也喜欢女孩儿，所以小时候把我打扮得很像小姑娘。现在看自己小时候的照片，头发很长，眼睛又生得大，衣服都是妈妈亲手织的毛衣毛裤，确实太像女孩了。

这里还有一件趣事。2012年汤尤杯[1]在武汉举行的时候，其间有个跟球迷互动竞猜的小游戏。主办方跟我妈要来我100天时的照片放在大屏幕上，让球迷猜是谁。选项A是鲍春来，选项B是林丹，还真有人猜是鲍春来的。也难怪，谁能知道那个打扮秀气的小孩后来长大变成了这样。

1　汤尤杯是男子羽毛球团体比赛汤姆斯杯和女子羽毛球团体比赛尤伯杯的合称，两项比赛均为羽毛球运动的至高荣誉之一，起先各自单独举办，自1986年起两项赛事同期同地举行，2年一届。

2007年世锦赛结束后，和父母在上杭古田会议旧址前合影。

小时候，脑子里没有故乡的概念，还感受不到那里的山水之美，直到日后亲近的机会少了，才发现是那么想念。童年最开心的就是每天可以和小伙伴们一起四处嬉戏打闹。这是我现在回想起来最深刻的记忆，也是迄今为止最自由烂漫的一段时光。

那时候，我妈在上杭县医药公司当营业员，在她工作的药店旁边有一大片晒中药材的晒场。那里距离我上的小学不过几百米，我把童年的大部分时光都留在了那里，那也是现在我梦里最常出现的故乡的模样。

刚出生那会儿，我爸还在做货车司机，后来开客车，要跑长途，凌晨四五点就要出门。妈妈在医药公司又是三班倒，很辛苦，中午通常会抓紧时间补一觉。但我那么调皮，哪里待得住？经常是等我妈睡着，我就偷偷跑出去了。后来，连药店里的叔叔阿姨都帮着"站岗放哨"，一见到我从值班室门后探出头来，都说："林丹你怎么又跑出来了？你妈睡着了？"

上了小学后，我基本上是中午吃完饭就跑出去玩，从不待在家里睡午觉，没有养成这习惯。周末的时候也是，星期六一下课，大家都不回家，都在外面玩，自然也少不了我。

但这样幸福的日子没能持续几年，我爸就调去了老干部局，进了机关单位。机关里中午有午休时间，盯着我睡觉的任务就转移到了我爸手中。

• ……… 与外公在福州西湖公园，3岁的林丹像小女生。

●……… 刚满月的林丹很精神。

我照旧趁他睡着后偷偷溜出去，一开始还能得逞，但后来他也有了经验，会装睡。我刚蹑手蹑脚摸到门口，身后就响起一个声音：“林丹，回来！”为了这个，我没少挨打。小时候，我爸会动手，而且他是家里的主力啊，下手肯定狠。

现在想起来，那时也没有什么天大的事，非要让我如此“冒险”。20世纪80年代的小县城，能玩的东西很有限，无非就是小伙伴们跑来跑去，互相追逐。我们一帮小孩玩得最多的就是“躲猫猫”，好像永远都能找到想不到的地方可以躲，对世界颇有“探险”精神，所以总是玩了又玩，一点也不觉得无聊。

一个人偷跑出来的时候，去得最多的地方还是药店的那片晒场。各种中药材在正午的大太阳底下散发出好闻的气味，我就在中间穿八字似的跑来跑去，常常把各种药材都弄混在一起。大人们发现后也不打我，就跟我妈告状，我自然少不了挨一顿骂。最过分的一次，我把一大片晒干的药材都浇湿了，我妈终于把我一顿“胖揍”。

长大后，小时候的这些“不良记录”常被爸妈拿来念叨。当年的那片晒场早已被拆掉围墙，现在成了老年人闲时打太极晨练的健身广场。

不过，调皮归调皮，一到“办正事”的时候，我也一点都不马虎。我爸后来说，逼我睡午觉是有原因的。我刚学羽毛球那会儿，早上5点多就要起床，天蒙蒙亮就要出早操，沿着上杭县城一跑就是三圈；上了一天的课后，下午5点还要训练，连他也想不明白我精力怎么那么旺盛。那时候

·……… "卖萌"我也会。

大冬天也要早上5点起来，上杭的冬天又特别冷，我就让我妈提前10分钟叫醒我，自己先在被子里蹬蹬腿热热身，到点起床后就不会觉得那么冷了。

在上杭体校初学羽毛球时，压韧带是训练里最苦、最让我感到恐惧的一项了。而且我很爱哭鼻子。那时候韧带还没拉开，腿压不下去，教练就让我们叉开两腿，上身挺直，他把两手按在我肩膀上一点一点往下压，常常疼得我眼泪直流。但白天刚哭过，晚上回到家好像就忘了疼，我会让妈妈继续帮我"开小灶"，这样第二天训练时就能轻松过关，我会因此得意很久。可一旦比赛中输了球，哪怕对方是比我大的小孩，教练都还没说什么，我自己倒先哭起来了。我妈说我不服输的性格，从那时起就显露无遗了。

调皮归调皮，但学校的老师们都挺喜欢我。听我妈说，上幼儿园的时候，有一次班上调整座位，我一定要坐在中间，不然就在老师面前哭。我也不知道为什么，只能说，我从小就特别倔强，这也让老师们对我的印象特别深刻。

直到现在，我的小学班主任蓝红老师还会经常跟我妈说起："现在的学生哪，很少有像林丹小时候那样主动举手回答问题的。你看他上课的时候好像没有在听讲，可是问他什么，他又答得出。"在老师们眼里，我是"人小鬼大"的那种学生。虽然不如有些同学那么守规矩，课堂上能够坐着一动不动，可是我学习能力特别强，作业做得也快。于是，还给我分配了一个小组长的职务。

我好像是很会察言观色的那种小孩。虽然惹妈妈生气的时候不少，

•……… 在幼儿园小班的合影上，好胜心强的林丹（第一排左八）一定要坐中间。

•……… 幼儿园毕业留念（第四排左三为林丹）。

但我也会懂得献殷勤，比如主动要求“妈妈，我来帮你扫地吧”，“妈妈，我去帮你倒垃圾”。这招似乎还挺有效，我妈原本一肚子的气很快就烟消云散了。

这种让大人“又爱又恨”的性格后来也让我吃到了苦头，但它一直伴随着我，影响着我后来的羽毛球之路。

遗憾的是，这样尽情玩闹的欢乐时光并没能持续太久。自从我进了体校，就跟儿时的伙伴慢慢失去了联系。那时候我并不知道，多年后，我也会成为一名军人。虽然不能像刘志丹那样成为战功赫赫的将军，但过的却是另一种“兵戈铁马”的生活。

比起那些伙伴，我离家的日子来得有点早。入体校的经历也让我比同龄人更早地明白“故乡”是什么，更早地体会到了那种思乡之苦。

02

我的父亲母亲

也许是受了父母的影响，从小我就特别好动。当我慢慢长大后，父亲跟我讲起，他原来读书的时候曾是体育委员。虽然他个子不是很高，但是打排球入选过县队，打篮球进过校队，另外田径、游泳都会一点。

当然，我今天的一切也要感谢我妈。如果不是她从福州来到上杭，最后留下来扎根在上杭，今天可能就没有我。我妈常说，只要命运有一点偏差，哪里来的“超级丹”？

我母亲是家里的长女，我还有一个舅舅、一个姨妈。1969年，外公一家作为下放干部从福州来到上杭，那时我妈才12岁。母亲在上杭一中认识了比她高一届的父亲，但两人从没讲过一句话。直到高中毕业上山下乡，我妈被分配到上杭县的芦丰公社，才发现我爸就住在她楼上。

●……… 百日时和妈妈、外公的合影。

福州来的“大小姐”突然要接受贫下中农再教育，干各种农活。春耕、夏种、秋收，每天出早工，天黑了还要加班。干完知青点的活儿，还要帮生产队插秧、挑谷子、割水稻。就连洗衣煮饭的水，也要大家轮流去小溪里挑回来。最苦的时候，晚上肚子饿了却没东西吃。能吃上面条就算不错了，但面汤里没有一滴油水。

父亲算是生产队的精壮劳动力，那时一天最高8个工分，能拿5毛5分钱，我爸总能拿到4毛多。像他们这样的知识青年，第一年每个月还有政府补贴的8块钱伙食费，第二年是4块，到第三年就要自食其力，不再发放了。

好在三年后，知青就迎来了招工考试。那时候外公外婆已经返城回福州了。当时每家可以照顾一个孩子，母亲就把这个名额主动让给了姨妈。在那个年代，我妈算是个子高的，在篮球队里打的是中锋的位置，干农活再不济也比年纪更小的姨妈强，所以她就那么义无反顾地留了下来。

1978年，父亲被招工去了龙岩汽车公司上杭车队。他成了母亲在上杭唯一的依靠。第二年，母亲也通过考试，在上杭医药公司当起了营业员。那个年代的种种动荡，父母都赶上了。好在母亲生性乐观，虽然上杭距离福州近600公里，但她总觉得日子会好起来。

•……… 我和父亲母亲，4岁时摄于厦门鼓浪屿。

•……… 百日时的林丹，身上的毛衣毛裤毛袜都是妈妈织的。

•……… 林丹在医药公司宿舍的走廊上骑车。

•……… 爸爸妈妈带林丹（右二）在厦门机场看飞机。

•……… 在厦门海边一边哭鼻子一边拍照的林丹。

●……… 在福州外婆家。

这中间还发生了一段插曲。为了改变命运，刚到芦丰公社不久，母亲曾动过要去参军的念头。当时南京部队来要人，只有一个名额。我妈找公社书记帮忙，把年龄改大了一岁，好让部队领导不能以她年纪太小为由，第一轮就把她刷下来。考试的项目有定点投篮、三步上篮、俯卧撑等。结果，我妈输在了俯卧撑这一项上。她从来不知道，也没见过俯卧撑是什么。而她的竞争对手以前是练体操的，在这一项上挣了不少印象分。再加上对方那时已经下乡两年了，我妈到底还是个高中刚毕业的小丫头。就这么阴差阳错的，部队选了别人，我妈的参军梦没能实现。

如今，我在部队已经待了17年，母亲的参军梦也早已被淡忘，她反倒开始庆幸当初没被选中。用她的话来说就是："我要真的去南京部队当了护士，哪里来的'超级丹'？"母亲生在南京，长在福州，最后留在了上杭，谁能说这不是一种命运的安排呢？

也许因为是家里老大的关系，我妈从小胆子就特别大。外公作为南下干部来到福州后，被分配到福建省京剧团。京剧团家属大院里没有别的娱乐设施，最多的就是篮球架。那会儿，学校每个班级之间常有比赛，我妈是他们班的中锋。

福建省京剧团离西湖[1]很近，所以我妈从小就习水性，还进了小学游泳队。这还不是最厉害的，到了五年级那年，她居然开始玩起了跳水。

1　福州市内的著名景观，辟有西湖公园。

●……… 我和父亲母亲，2012年摄于武汉汤姆斯杯期间。

●……… 大人忙着拔河，小林丹也不甘寂寞，“志比天高”。

三米台、五米台、七米台……也没什么花哨的动作，就是像根冰棍似的扎进水里。可那也非常了不起了，把她同学都羡慕坏了。

后来外公一家被下放到了上杭，可我妈小时候的这些“英勇”事迹却没有人走茶凉。直到前几年，还有她当年的同学从福州打电话问我妈：“那个打羽毛球的‘超级丹’是不是你儿子？”据说打电话之前，他们几个同学怕认错人，还事先商量了一下：“肯定就是我们班那个高秀玉[1]！她小时候在七米台‘跳冰棍’，别人都不敢，就她敢跳。‘超级丹’是她儿子，肯定没错。”看来，我的体育细胞多少是有些渊源的。

体育也曾给我父母上山下乡那段艰苦的日子带去不少慰藉，直到有了我。每年上杭县商业系统会在元旦节、妇女节、劳动节、国庆节这些节日组织活动，一拉就是十几支队伍，我妈自然是主力。她也总把我带在身边，大人们在球场上打比赛，我就在旁边帮他们捡篮球。拔河比赛的时候，我也混在大人队伍里掺和一把。小的时候调皮，但大人们见到这么个小不点，都还很喜欢。现在想来，从那时起，我就已经对各种体育活动耳濡目染了。

---

1 高秀玉是林丹母亲的名字。

03

电影院对面的粉干店

小时候，我其实不喜欢在家吃早饭，而是特别喜欢去吃一种米粉。那是我们上杭特别有名的米粉，叫作粉干。到现在我都觉得，在所有的小吃里，那真的是人间极品。

一碗粉干很简单，配料就是猪肉、猪油加葱花。

以前我每次回上杭都会去吃。这两年放假的时候，不巧都是春节，粉店老板回家过年去了，没开门。这让我觉得很可惜，非常可惜。

我记得那时候粉干店就在上杭的人民电影院对面，是一个很小的门面。小时候卖得很便宜，也就1块、1.5块一碗，现在涨价涨到5块了。

因为我爱吃，所以我妈就学着做粉干（当然，妈妈自己也很喜欢吃）。到现在，每次来北京，她都会从老家带米粉。自己做的当然也好吃，但我总觉得哪里不一样，总觉得还是人民电影院对面的那家更好吃。我妈是在家现煮，而店里的猪肉是长时间在炉子上用小火慢炖，肉骨头、汤头的味道就会不一样。那是我最怀念的家乡的味道。我想它现在应该还在那儿吧。朋友们将来有机会去上杭的话，一定要去尝一尝。

这么多年了，店里的碗还是那只碗，汤还是那个汤。我不知道其他从家乡出来的人有没有这种感觉——无论你走多远、走多久，有些东西都还在那里等着你，保留着最初的味道。

我在上杭只待到9岁。等我后来去了体校，再回老家的时候，慢慢就看到熟悉的街道变得不一样。这边多了一家超市，那边多了一家服装店。哦，那边的小店还是原来那家小店，地址还是那个地址……

我记忆中的家乡还有上杭的白斩鸡、客家的鱼板。这些年回家的次数越来越少，小时候的记忆却反倒越发清晰。我想，每一个离家的游子，都会有类似的感触吧。

04

漫漫回家路

按照我爸的说法，从小到大，我到哪儿都是最小、最矮的。在福建省少体校的时候，一个宿舍8个人我是最矮小的。结果我冲了出来，打球打到了数一数二。到了八一队，6个室友中我又是最矮小的，现在到了国家队还是最矮小的一个。我有时对别人开玩笑说："在国家队，我就跟棵小草似的，哪个不比我壮？"

据我爸妈说，小时候我不但矮小，开口说话还特别晚，上托儿所了还不会说话。别人家孩子都会叫爸爸、妈妈了，我还懵懵懂懂的。但是父母也没有太担心，因为我9个月的时候居然已经能自己扶墙走路了。上学后更加一发不可收拾，在小学二年级的校运动会上，我就把四年级的100米短跑纪录给打破了。不过，我在上杭的求学生涯，就只到小学三年级暑假。

少小离家老大回，现在回上杭，童年时的那些玩伴、游戏和记忆一点点地在褪色。但让我庆幸的是，当现实生活让儿时的伙伴慢慢走散时，在我身边还有相识超过20年的朋友。到现在为止，他们中和我还有联系的，谢鑫是其中一个。

我们从上杭到福建省体校，后来他去了福建省队，我到了八一队，再到后来我俩都进入国家队——在这漫长的岁月中，谢鑫是我唯一经常联系，甚至到现在还经常在一起的儿时伙伴。

我的很多球迷都知道谢鑫，这个我认识快25年的发小。小时候，他

• ……… 1995年春节与八一队队友、教练在福州左海公园，林丹（后排左一）是其中个头最矮的一个。

• ……… 小学二年级时，林丹百米夺冠，并打破了四年级百米纪录。

还是我的“克星”，比赛时我经常输给他。其实他还有个小名叫“小胖”，很多人问是怎么来的，我说：“就是因为小的时候挺胖的。谁知现在这么瘦，还很帅！”

小胖的手腕很有劲，我老输给小胖，我妈也着急。那时我妈工作的药店里一边卖的是中药，一边是西药，两边的柜台中间有一块空地。放学后，我妈就帮我练习搓球。有时候生意忙，我就自己在那儿练跳绳。肚子饿的时候，我妈也会奖励我一个面包。后来听我妈说，小时候我很会卖乖，会跟她说：“妈，我今天不喝可乐了，星期六我跑步的时候，你再给我买好了。”

训练总是很辛苦的，但能看见成绩就让人有动力。有一天，我妈拿着通知单说：“你被体校录取了。”当时我在业余体校已经待了四年。

那时候，省里的教练会下来选拔。像上杭这样的小县城，很少有人会被体校的教练看上。教练来的时候我也知道，但具体选了谁不清楚。

拿到录取通知后，妈妈问我想不想去，我说当然想去。我记得那是夏天吧，当时全县只有一个名额，我心里很高兴。

第一次去福州，很兴奋，只拎了一个小包，带了几件换洗的衣服，就这么出发了。我妈带着我，先从老家坐汽车到龙岩，再从龙岩乘火车

●……… 刚进业余体校的林丹穿着“时髦”的运动服。

●……… 林丹（右）与表弟在福州西湖。

到福州。火车乘了整整一夜，真是“跋山涉水”。

到了体校，先试训。那时候试训，妈妈全程都陪着。因为外婆、舅舅他们都在福州，而且能跟新的伙伴（都是比我大一点的小孩）在一起，我觉得还蛮有意思的。试训时间大约是10天，结束后正式入队，才发现不是那么回事。

10天后，我妈就这么丢下我回上杭了。我立刻觉得，完全不是我想的那样，一下子变得很无助，特别不习惯。最现实的是，没有人给你洗衣服了，也没有人真的关心你了。

我环顾四周，大家都是小孩，都不会照顾自己，而且体校的年轻教练比较严厉。最关键的是，这是我第一次离开家，所以特别不习惯。那时候，一个9岁的小孩，就体会到了人生的不顺，曾想过要放弃。

那时候最盼望的，就是星期天可以回外婆家。公交车票2毛钱一张，之前妈妈带我坐过一次。但自己一个人坐时，一想到在这站上车后，第几站要下车，我就很紧张。

因为年纪还很小，上了车后，视线全被大人给挡住了。那时还没有语音报站，我就一直注意听车门开了几次。“这是第一站……第二站……第三站……第四站一定要下去了。”每次第三站一下完人，门一关的时候，

•……… 幼儿园时的林丹喜欢在家附近的上杭公园“坐飞机”。

•……… 林丹（右）与表弟。

•……… 小学二年级时，在学校组织的活动上，小演员林丹所在的班级得了奖，林丹从羽毛球场上匆匆赶回来合影留念，还忘了戴帽子。

●……… 林丹（右）与表弟在上杭老家。

●……… 林丹（右）与表妹。

●……… 一年级时的林丹。

我就会挤到车门那边，一到站，车门一开，我就马上下去。我特别害怕会下错地方，坐过站。

后来我跟阿芳（谢杏芳）聊起这段的时候，她说，广州那会儿公交车票是1毛钱，以前车上都有售票员卖票，又没有投币箱，车上特别挤的时候，人家一看是小孩就算了，也是常有的事。阿芳问我有没有逃过票，我说还真没有。因为就2毛钱嘛，而且我一个星期才回去一次。那时，我妈把零花钱都放在了外婆那里，好像是一个星期5块钱，已经算是不错的了。

这么平安过了一年，结果还是出事了，那是我到福州后的第二个春节。在一年寒暑过去之后，我爸妈也来福州接了我两次。可是，从上杭到福州，要历经4.5个小时的客车，再是12个小时的火车，这么折腾一趟对爸妈来说也很辛苦。碰巧1994年的春节，我跟体校的另外一个姐姐，还有一个小男生一起结伴回家过年。可是腊月二十九，我爸在龙岩火车站并没有等到我们三个人。他说，等整列火车的人都出站了，也没找到我们，他一下子就慌了。那时电话很少，更没有手机，我爸就火速赶到龙岩地委（现在叫市委）借了办公室的电话打到我福州的外公家。外公家也没电话，但是街对面有，楼下喊一声谁谁谁电话就成。外公再去体校问，体校的教练回答说，三个小孩已经出去了啊。

多年后，我已记不清我们的火车票到底是被偷了，还是给弄丢了。反正，三个人的车票本来都放在那个姐姐身上，但临上车时车票却找不着了。我们投奔到福州外公家住了一晚。第二天，外公把我们领到火车站派出所，跟所长求情，说这三个小朋友都是体校的学生，本来昨天要回家的，结果火车票被偷了。这都大年三十了，父母在家里等得很着急。那所长一听，二话没说，把我们领上了火车。

坐了12个小时的硬座回到龙岩，三个小孩都累傻了，但总算赶在大年三十这天一家团聚了。那时我觉得，回家的路好难好漫长，却不知道，多年以后从上杭到福州走高速公路只要4个小时，但我回家的机会却越来越少。

05

睡在我上铺的兄弟

那时的省体校，一个房间睡8个人，上下铺。体校的孩子家里条件都很一般，而且集体生活就是那样，你吃个什么东西，大家都会靠上来。

像泡一碗面，8个人每个人都要来一口。泡面就是很便宜的那种，袋装的，我记得是叫“宏发”牌，也就5毛钱吧，里面只有一包调料，连油都没有。如果是一个苹果、一个梨，8个人每人上来咬一口，立马就没了。

不过现在想起来，还蛮好玩的。大家的家庭条件都不算优越，能过这样的集体生活，其实很温暖。我在体校的收获之一就是，我现在最擅长做的还是煮面。那些当年跟我一起分一碗方便面的队友，现在大部分都当上了羽毛球教练，有一些则去当了警察。

可是，就如你们在青春电影里看到的那样，男孩子多的地方，年纪小一点的总难免受欺负。给大队员洗碗、洗衣服，那是必须的。刚到体校的时候，我身上很少带钱。妈妈送我到福州后，脸盆、碗筷、水壶这些都是重新置办的，临走时留了些零花钱给教练，也放了一些在大队员那里。可是我毕竟才9岁，有时候不敢跟教练要；跟大队员拿吧，他们就说存银行呢，没带在身上。于是，我只能眼巴巴地等着每个星期的两个晚上，外婆来给我送点吃的。补充营养是一方面，最重要的是能见到自己的亲人，以缓解刚到省体校时的种种不适应。

我跟外婆的感情从小就特别深，我一直称呼她“奶奶”。外婆也不会骑单车，那时候总是风雨无阻地乘公交车来看我。这两年外婆年纪大了，2006年国家队在晋江集训时，我给外婆找了一只苏牧犬来做伴。刚到外婆家时，小狗还没满月，眼睛都睁不开，站也站不稳，因为一进门就喜

与体校的英语老师合影。9岁的林丹已经进入福建体校，除了训练还要上课。

欢咬我的运动鞋，于是给它取名叫“NIKE”。这么算来，“NIKE”到外婆家也已经六个多年头了。外婆是虔诚的基督徒，只要不生病、身体允许，每个周末总是雷打不动地去教堂做礼拜，为我祷告，就像当年每周来省体校看我时一样。尽管不能常陪在她身边，但我们祖孙俩心里都记挂着彼此。2012年年初，我在左手臂上文了一个十字架。有了它，就好像有外婆守护着我，什么都不用怕。

在体校的时候日子苦，加上年纪小，免不了会想家。我妈妈性格非常坚强、乐观，可我小时候却很爱哭，而且特别黏我妈。刚到福州那半年，我几乎每个星期都会给家里写信。信封是妈妈事先帮我准备好的，写好了地址，贴好了邮票。至于那些信的内容，想必很多球迷都已听说过不少了，还曾被拿到《鲁豫有约》上公开读过。信中差不多每次都是“妈，我在这里很好”“妈，我好想你”“妈，你什么时候来看我”这样的内容。那些书信现在还剩了三四封，在家里保存着。有些是媒体拿去做节目，就散落在各处了。虽然事情过去了很多年，但我妈还是觉得奇怪：那么小的一个人，怎么就会懂得“寂寞”，会在信里说，“在我最寂寞的时候会想家”。

对爸妈的想念，又岂止从家里到体校的600公里那么长？每次爸妈来看我，我都会央求他们再多住几天。可再开心的相聚也总有分离的时候。

•……… 在上杭老家，林丹（左）与曾经在上杭业余体校的小师哥合影。

•……… 林丹（前排左四）与福建体校的老师和同学们。

•……… 去福建体校的第二年，林丹回到上杭老家，爸爸妈妈在家宴请启蒙教练陈伟华。

•……… 林丹和爸爸妈妈在家宴请启蒙教练陈伟华（左一）一家。

●……… 1993年，林丹在家看电视，身后柜子上的电话是爸爸妈妈为方便和林丹联系而买的，在那个年代仍是贵重物品。

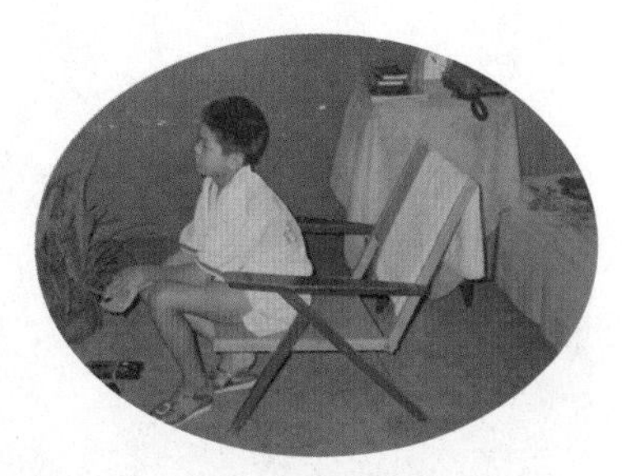

●……… 回到家的林丹是电视迷和游戏迷，地上放着遥控器和游戏机。

●……… 林丹与舅舅和表妹在玩碰碰车。

●……… 在外婆家与姨妈、表妹在一起。

●……… 从福州回到上杭，林丹（第二排左三）和上杭业余体校羽毛球队的小伙伴们重聚。

•……… 在福州五一广场，与舅舅、表妹、妈妈合影。

•……… 初进八一队的林丹在左海公园。

•……… 在福州的林丹。

•……… 林丹（右一）和外公、表弟一起给表妹“抬轿子”。

•……… 林丹与父母在上杭照相馆。

我至今都还记得，爸妈要去乘火车回家时，我跟在出租车后面一边哭一边追的画面。后来我问我妈："那时候你怎么下得了'狠心'？"妈妈故意调侃说："司机还问呢，要不要停，我说别停，一停今晚又走不了啦。我们那时候……"妈妈没说完的，这些年我也渐渐明白了。

2005年苏迪曼杯夺冠之后，爸妈受中央电视台邀请来到北京。节目录制前，我并不知道他们要来。当主持人读完10年前的那封家书，我正有点情不自禁时，爸爸突然从后台走了出来，给我来了个"突然袭击"。其实，他们又何尝不想常常见到自己的儿子？可自从我2000年入选国家队后，那还是他们第一次来北京。那天，爸妈都很高兴，录完节目后还在中央电视台门口留了影。后来打电话让阿芳也过来，还有同是福建人的师兄陈宏，我们几个一起吃了顿饭。而现在，虽然我依然南征北战到处打比赛，但只要我在北京待的时间超过两个星期，我就一定会让爸妈住到北京来。没有什么比一家人在一起更重要的。过去，我们已经失去了太多。

9岁进了福建省体校，我就是半专业的运动员了，上午读书，下午训练，一周只休息星期天一天。

那会儿在每个星期六的时候，体校会放一部电影。这时候你就会看到，

•……… 八一建军节在福州的照相馆照相，林丹开始长个了。

•……… 2000年11月，林丹代表八一队在福州打俱乐部联赛，战胜了新科奥运冠军、福建队队员吉新鹏后，和妈妈在外婆家合影。

•……… 2003年11月与父母在高路江主任家。

● ……… 在八一队时的林丹与父母。

•……… 林丹（左）在体校度过的第二年，宿舍墙上还贴着林志颖的海报（旁边是队友谢鑫）。

哇，偶像的力量是什么。看得最多的就是林志颖，有时也播周星驰。不管男生女生，好像都会喜欢林志颖、吴奇隆，还有一部分女孩喜欢郭富城。

和别的孩子一样，我也会买一些海报贴在墙上。像林志颖这些，那个年代，大家都买，我也跟着买，而且还留长头发。可能很多人都没见过我留长发的模样，而且还是分头呢，中分。那种发型是那时体校的每个学生都会留的。那会儿都学港台明星，头发留得很长，每天起床后，先用水把头发打湿，然后往两边梳。现在回想起来，那就是20世纪90年代的时尚。

这种看似欢乐的集体生活，我花了整整一个学期的时间，其实都没有完全适应过来。多亏了体校里的那些小伙伴，让我感受到很多温暖。因为就算我叫爸爸妈妈来，他们也没有办法来，他们要上班，那时候外婆也不可能天天来。这就逼着我只能靠自己，其他室友也是一样。慢慢地，我就把注意力转移了，不再去想爸妈什么时候来，什么时候把我接回家。我进体校的第二年，谢鑫也来到了福州。我觉得他好像比我好一点，来了以后很快就适应了体校的生活。

也正是那一年，我参加了全国少儿羽毛球锦标赛，获得了乙组男单亚军。那是我人生中的第一块奖牌。那时候是第一次出省比赛，还没有

●……… 林丹（后排右一）参加全国少年羽毛球赛。

奖金、荣誉的概念，只觉得很开心。在回福州之前，我跟我们教练借了点钱，给爸爸买了个烟灰缸，给妈妈带了一包她没吃过的草莓饼干。

那时候我11岁。

PART 2

从“林一轮”到世界冠军

01

12 岁入伍，阴差阳错

1995年，我第一次拿到全国少儿比赛的男单冠军，当时特别高兴。虽然只是个业余比赛，但好歹是全国范围的。我以为这下肯定能进福建队了，结果来看我比赛的，却是八一队的教练。所以，我从军这件事，就是鬼使神差。

我那时根本不了解八一羽毛球队，不知道八一队有过什么成绩，出了哪些优秀的运动员，脑袋里一片空白。不像那个年代一讲到福建队，都知道他们是全国羽毛球锦标赛男团七连冠。最初，甚至连国家队基地都设在福州。可见福建的羽毛球在全国有着多么举足轻重的地位。

没能进福建队，我心里的失望是肯定的，但当时有个疑问一直萦绕着我：为什么福建队没有要我？

那年，福建队选了邱波辉，他是我原来在体校的室友；福建队也选了谢鑫。我原本以为我们几个可以一起进福建队的，结果大部分人都被福建队挑走了，只有我一个人去了八一队。那种失落、难过没法说。

但当时我也不知道为什么福建队没有要我。没等我弄明白，我也不

•……… 初入八一队，穿最小号军装还嫌大。

会明白，就这么去八一队报到了。

我领到的第一套军装已经是最小号了，可还是大得像麻袋。我那时的个子不到一米五，还没发育呢，可只有大人的军装给我穿。我记得妈妈帮我把裤脚挽进去好多，才算勉强走路不绊脚。

进了八一队，就从体校的半天上课、半天训练变成了全天训练，读书的时间很少，训练也比体校更专业。在八一队的前两年，我整天活在自己的世界里。很多人夸我，觉得这小孩不错。我练得也挺用心，进步很快，又是左手持拍，自我感觉非常好。

但现实根本不是我想的那样。我的竞争对手不光是1983年出生的这一批队员，还要跟1982年、1981年出生的在一起竞争。这时候我才知道，哇，原来外面的世界还很大。

1996年、1997年的全国青年锦标赛，我基本上就在第6到第8名之间徘徊，并没有一出道就拿冠军，根本没有，甚至有的时候连小组赛都没有出线。

这时候我发现，前一年我还觉得自己多么了不得，可怎么突然之间，我感觉自己正离国家队的大门越来越远。

八一队只是一个小山头，去了全国锦标赛我才发现：哇，原来羽毛

•……… 12岁时的林丹（后排右一）已经是部队里的一员，外公前去部队看林丹，为同一批进入八一队的6名队员合了影。

球打得好的人这么多啊！而且很多人还不是所谓的世界冠军，只是些我不认识的、叫不出名字的人，我都觉得他们好厉害。

就在我走到十字路口的时候，人生的第一次军训也来到了我面前。那是1997年，地点选在福建的南日岛。

出发之前，教练和领导就说，什么吃的都不准带，零食、水果一律不能带，检查到就要被没收。在我的理解中，去海岛军训是一件美差。海岛呀，我还幻想得很美好，盘算着要怎样怎样。所以就这样，每个人打包了一床被子、几身军装还有鞋，就这么兴冲冲地去了。结果一上岛，才发现什么都没有。

我到了那儿还问班长："班长，我知道我们这边条件肯定很差，肯定不可能全天24小时热水，那你告诉我，哪一段时间是有热水的？"班长的回答无情得如同一盆冷水浇下来，他说："没有，我们这些士兵都是洗冷水澡，一年四季都洗冷水。"

那可是冬天啊！我一听，鸡皮疙瘩都起来了。所以军训了20天，我印象中一共才洗了三次澡，一个星期一次。基本就是拿个脸盆接水，往头上一倒，然后拿浴巾一擦，整个人冻得直哆嗦。

没去之前是期待，去了之后却是特别苦，想走，又不可能走得掉。

•········ 在南日岛军训时和小伙伴打闹。

南日岛上除了我们这些新兵，就是渔民跟海防部队。班长、排长们根本就不觉得你是运动员就有什么特别。只要来了，就一样是战士。当时，我和我的两个队友被分到了四连，还有的人去了二连，女孩则去了特务连，大家都分散开了。

驻岛部队的伙食很差，住的条件又很简陋。我跟朋友聊起这段的时候，有人问："有空调吗？"真是做梦。那时候没有手机，在岛上我几乎没有办法跟外界联系，打电话都要到公社去打，更别说空调了。条件真的太艰苦、太艰苦了。

我记得三餐都没什么肉，菜则是自己种的。饭是管饱，但能吃的菜真的很少。那时候班长告诉我说："你一定要看菜吃饭，如果今天的菜不是很好，你就多吃点饭。"我那时候还不太懂。有一次好不容易炊事班炖了些小咸鱼，没有多少，我一个人就夹起一条来吃。班长就发话了，"就这么一点点鱼，你一个人夹走一条，那别人吃什么？"把我说得当场羞愧难当。之前集训的时候，我已经感觉八一队的伙食真差，没想到到了连队，他们的条件更差。

这里不得不说说军训中的一项重要课程——站岗。你想想那时候我才多大啊，刚刚14岁吧。夜里四周黑咕隆咚的，那个岛一到晚上，天冷风又大，我就会害怕。没有班长陪的话，肯定不敢出去站岗。而班长呢，又老喜欢跟我讲那些他们遇到过的邪门的事情，用什么鬼啊之类的来吓唬我，我就更加害怕了。而且往往就在这时，岛上的风会刮得很大，发出一种很奇怪的声音，让人毛骨悚然。

班长他们那时年纪很轻，风华正茂，虽然部队的生活苦得你难以想象。那时候官兵要离岛，一定要乘登陆艇才能出来，可登陆艇并不是每天都有。这些平凡的人默默无闻地在岛上一待就是10年。也许他们并没有做什么轰轰烈烈的事情，但要把站岗、操练这些看似平常的事情每天重复做，日复一日、年复一年，也是一件伟大的事。他们这样无条件地付出，才真叫了不起。

我们这些队员的到来给南日岛带来了一阵喧嚣。跟班长他们这样相处了三个星期，他们教会了我很多。三个星期后，海岛重又归于平静，有的只是浪涛拍岸和海风呼啸的声音。离岛前的最后几天，我突然发觉，大家之间都已经有了感情，竟会舍不得。

02

被国青队开除，醍醐灌顶

那次军训回去后不久，我就代表八一队入选了亚洲青年锦标赛[1]的中国队参赛阵容。比赛在缅甸原来的首都仰光举行。我记得那次比赛谢杏芳也参加了，那时她的主项是女双，在女单比赛中则是输给了张亚雯。

男单32进16的那场球，我败在了印尼一个比我大一点的球员手里。

1　由亚洲羽毛球联合会组织的羽毛球单项锦标赛事，19岁以下的青年选手参加。1997年—2011年已举办14届，这里林丹参加的是第二届比赛。他后来在2000年的第四届亚青赛中夺得男单冠军。

当时他的球确实比我打得好一点。输球后，我一下来就被所有教练批评。他们说我在场上没有意志品质，打不过就放弃，所以回来以后，我就被国家青年队除名了，也就是开除。

那时候，中国青年羽毛球队在福州集中训练，我是同年龄那一批男单中唯一一个能去参加1998年亚洲青年锦标赛的。当时跟我一起训练的还有鲍春来、邱波辉，他们都去不了，就我去了。结果我打成这样，所以回来后就被开除了。

我记得，赛后我来到看台上，被所有的教练挨个批评，狠狠地批。当时的教练有陈兴东和王耀平，王耀平也就是王琳（2010年世锦赛女单冠军）的老爹。这些骂过我的人，我都记得很清楚。还有那时候的领队任春晖老师，他们每个人挨个把我批评完，我站在那里就感觉天都要塌下来了。我当时就想，完了，我的羽毛球事业完了，眼前一片漆黑。

回来的行程，是先从仰光飞到北京，然后转机回福州。那时候还没有手机。在从北京转机回福州的时候，有一段时间可以休息，我就拿IC卡和八一队的何国权教练，还有高路江主任打电话。

在电话里我也很心虚，我就讲："这次打得不好啊。"教练跟我说："你要有心理准备，你可能会被调整回八一队。"当时我听到这话，人都是木的。

这件事对当时15岁的我打击真的很大，而且后来发生的事情让我特别尴尬。

我回到福州以后，已经很自觉地把东西整理好，准备随时走人。国青队和八一队的基地在一起，只要我拎个箱子，从这个楼走到那个楼，就从国青队回到八一队了。

电话里我们教练说，反正你就等通知吧。结果回来后的第二天，国青队通知下午开会，我就去了。我记得太清楚了，我刚坐下来，其中一个教练就跟我讲："你不用坐这儿了，你已经不是国青队的队员了。"我就站起来，在所有人的注视下走出了会议室大门。是所有人哪，所有的男男女女都在那里，我就那么被赶出去了。而这位教练就是小鲍（鲍春来）在湖南队的教练张绍臣，当时他在国青队执教。

•……… 9岁时的林丹（第二排右二）获得龙岩地区羽毛球比赛乙组冠军，3个月后，林丹进入福建体校。

那天我特别难过，心里太难受了。但也不是生气，因为我没有资格生气，确实是我自己比赛没打好。

也许是天性使然，自小我的骨子里就有一股不服输的劲。9岁那年，刚进入福建少年队的我，便获得了龙岩地区羽毛球比赛乙组的冠军。年少得志，就难免轻狂，恃宠而骄，脾气也大得很。不光是在比赛和训练中脾气倔、不服输，就连生活中也是这样。我记得1998年有一次我代表八一队到成都去打比赛，赛后的饭桌上，八一队队友、四川籍的吴勇对我开玩笑说："你打羽毛球能拿第一，但你吃辣椒行吗？"我一听这话，不服输的狂劲又上来了，说："不就是吃辣椒吗，照样不会输给你！"结果吃辣椒太多引发了急性阑尾炎，不得不做手术。这时我人还远在四川，我让教练不要把这个消息告诉我爸妈，免得他们担心。最后还是吴勇的妈妈赶了300多公里路，从家里来到医院照顾我。

就在这时，福建省第十一届省运会在泉州开幕了，我得赶回去代表龙岩市参赛。那次回到家乡上杭县医院拆完线后，我就马上赶回龙岩集训，最后在泉州拿到了羽毛球男单、男团两个冠军，我们总教练都哭了。

不服输、好胜心强、求胜心切的这种性格，就像一把双刃剑，既成就了后来的我，也让我在职业生涯中多次遭遇危机，兵败雅典就是最好的例证。

而事实证明，被国青队开除的这次变故对我来讲反而是件好事。回到八一队后，我就真正意识到其实我真的什么都不是。你条件不错，那些人就夸你，但你没有成绩，就代表你什么都没有。我开始检讨自己的训练。

被开除后的那段时间，我开始回想自己的过去。以前的我，要是某天练得很好，就特别来劲；要是练得不好，就一塌糊涂，摔球拍什么的都来了。我还曾经因为摔球拍被停训20天，那时的教练就没见过这么不服管教的队员。

自那以后，无论是训练还是比赛，我都认真了许多，开始懂得什么叫真正的敬业。比赛不是你今天感觉不好，就可以随随便便输掉的。

在这期间，八一队也派我出去打了一些比如四国邀请赛、中英对抗赛这样的小比赛。我在转变，教练也慢慢发现我和原来不一样了。三个月后，有一天教练对我说："你可以回国青队了。"再回来后，我就特别珍惜这次机会。

03

国家队地下室里的"插班生"

2000年，我们1983年这一年龄段的球员开始接受国家队的选拔。然而，第一批选拔名单里并没有我。

现在想来，这太好理解了。因为我从小给国家队教练留下的印象就不是特别好——很调皮、很自我、不好管、不太听话。所以，很多教练根本就不喜欢我。对于这样的局面，我并没有心理准备，还感到挺伤心的。直到这时候，我才真的开始担心了。错过了这次进国家队的时机，等到下一次再选拔，就得跟更小的一拨队员竞争了。说白了，就是"过了这村，就没这店"了。八一队的高路江主任也很着急，那时他就说，无论如何都要搭个"末班车"，一定要把我送上去。

在这之后，又来了一份备份通知，说我又可以去国家队了。其实，这份通知的名单上只有我一个人的名字。所以，我是那一批国家队的"插班生"。

2000年5月，我一路北上，心想着一定要为自己、为高主任争一口气。两个月后，亚洲青年锦标赛在日本开打，我拿下了男团、男单两项冠军。这两项冠军像一颗定心丸，让我自己也让高主任稍稍松了口气。万一那次又没打好的话，别人肯定会觉得，我这个"插班生"是靠关系进的国家队。还好，我用冠军击退了流言蜚语。

就这样，我在国家队里也渐渐稳定下来。刚到北京后，差不多有一年的时间，我们的宿舍是在公寓的地下室里。这个地下室现在已经不存在了。当时国家队一队住宿舍楼，二队住地下室。国家队内定期举行升降级比赛，二队成绩好的升一队，一队差的退回二队，成绩的好坏直接与待遇挂钩。

和我同一天到国家队报到的邱波辉依然和我住同一间宿舍。地下室阴暗、潮湿，四个人一个房间，卫生间则是公用的，出门还得走上一段路。这都没什么。最难的，是刚到国家队的那种压抑。

因为我是"开后门"进来的，很急切地想要表现好，就怕教练不重视我，这是每天面临的最大压力。我的眼前不是世界冠军就是奥运冠军，在食堂吃饭的时候我根本不敢抬头，就盯着自己的饭盒扒拉两下，用最快的速度吃完就走。

而且来到国家队之后，那种大强度的训练，是之前在青年队和八一队从来没体会过的。当时每天练完，就想回到房间，躺在床上看看电视，什么都不想做。那时候我们的能力还没到师兄们的那个程度，可是每天的训练量却和师兄们是一样的，我就感觉很吃力，特别累。

地下室给我印象最深的，就是手机没有信号。刚去北京的时候，我还没有买手机。临行前，八一队教练再三关照："你到了那儿就好好训练，千万不要喝酒，也不要用手机。你就记住这两条。"所以，差不多前半年，我都没有手机，一直到2000年年底的世青赛打完。

那次世青赛，虽然我们拿了男团冠军，我是第一单打，但是单打半决赛我输给了小鲍，小鲍在决赛中又赢了索尼，拿到了世青赛男单冠军，在我们同年龄的选手里，一下子杀出重围，成了我们中间的“高帅富”。

第一部手机是什么时候买的，我已经忘了，但我记得是部索尼手机，那时的号码也一直用到现在，从没换过。那时候买手机可以选择的品牌比较少，而且还不是彩屏，都要3000多块钱。所以，手机算得上我当时比较贵重的一笔财产。

地下室里，手机常常没有信号。要打电话或者发短信，都要站在床上面，把手举得老高，等短信发出去了，再放下来。

不过，这段地下室里的日子不只有压抑，也有让我高兴的事，就是冬天洗衣服不用再两只手泡在冰水里了，而是用上了洗衣机。小时候在八一队，不仅要洗自己的衣服，还要洗大队员的。吃完饭，他们也是把碗往我面前一推。虽然大家都是小毛孩，经历一下这种事也好，但是这种“以大欺小”的人还真不算什么英雄。

等到了国家队以后，大家都是十七八岁的小青年了，也不会谁欺负谁。进国家队12年，我们的生活用品时常会被赞助。牙膏、牙刷、洗发水、沐浴露这些我都自己买过，唯独洗衣粉，我到北京12年就没自己买过一袋洗衣粉，这也真的创下一个纪录了。比方说今天一个宿舍的洗衣粉用完了，那我就先把脏衣服放在旁边，等哪天又有了洗衣粉再洗。结果，总是不出两天，洗衣粉就一定会补上。国家队的洗衣粉好像永远用不完似的。

就这样在国家队待了一年半，转眼第二年的全运会在广东举行，我代表八一队出战。八一队的团体实力不强，反正就一场一场打吧。男单比赛，我放卫星似的进了决赛，对手是湖南的罗毅刚。这时候南京军区的很多领导就都飞到广东来看我比赛了。

那时候，连八一队的高路江主任也没想过我能进决赛，而且第一局还赢了。虽然后来以1比2输了，但我已经很开心了。现在回想起来，这样的结果也很正常。你必须经历过这些事，它们才能变成你自己的财富。

• ……… 2000年11月6日，第五届世界青年羽毛球锦标赛混合团体决赛在广州举行。在第二局男子单打中，中国队的林丹以3-2(3-7,7-4,7-1,4-7,7-5)战胜韩国队的张永水。©中体在线_郑迅摄

•……… 2001年11月，林丹在广东举行的九运会羽毛球比赛中获得男单亚军。这是林丹在赛后与八一队的高路江主任及其夫人高清在八一队训练馆前合影。

至少在2001年的全运会上，我是同年龄组中收获最多的，无论是成绩、赞美，还是自信。

带着全运会男单银牌，我从地下室搬到了楼上。而我的职业生涯，也像坐上了云霄飞车一般，开始往最高点攀爬。

04
队友叫我"林一轮"

从2001年开始，我逐渐登上国际赛场的舞台。如果没记错的话，我职业生涯的第一站国际比赛就是马来西亚公开赛。那次我跻身前八，在8进4的时候输给了马来西亚的王友福。

第一次参加国际比赛就能取得这样的成绩，我挺高兴的。因为在我印象中，我们以前的那些师哥，刚出道时也有前两轮就输球的，所以能进前八我很知足。

在下半年的广东全运会之前，我已经打进过丹麦公开赛的决赛，一切看起来都顺风顺水。

但值得一提的是，当时国际羽联为了加快比赛节奏、缩短比赛时间、提升比赛的观赏性，将每局比分改成7分，试行了一年多。2002年下半年，这一改革遭到不少国家的反对，认为羽毛球失去了原有的魅力，反倒成了体力与力量的大战。结果，7分制就此终结，国际羽坛又回到了15分制的天下。

15分制得以“复辟”后，对我的打击超出了我的想象。--下从7分改到15分，我还没能调整过来，连续三站比赛都是第一轮就输了。从2002年下半年开始，我有长达八个多月的时间，几乎都是第一轮就被人斩落马下。这时候，我的心态开始失衡，不仅怀疑自己，而且有点害怕比赛。怎么第一轮就输了呢？这是从来没有过的，我有点想不通。

因为我老是第一轮就输球，就有人给我起了个绰号叫“林一轮”。这时候，倒是有不少八一队的队友经常打电话给我，或是发来短信说：“比赛是这样的，你刚出道的时候走得太顺了。原来那些大队员不也是从第一轮过来的吗？这很正常。你就从头再来，努力加油呗。”他们这样开导我，我也不那么消沉了。

而在那段日子，国家队教练帮助我的唯一办法，就是不让我打比赛了。我有大半年的时间没有比赛可打，用现在的话来说叫“被雪藏”。这是他们一贯的做法。

这样的日子过了小半年，我也因此错过了2003年初的全英公开赛。这可是每年年初国际羽坛最重量级的比赛[1]。我像是跟自己斗气似的，每天就是埋头苦练，而我身边都是一些同样没有比赛机会的比我更小的队员。但埋头训练的效果也不是特别理想。

随后紧接着到来的日本公开赛，我终于迎来了复出的机会。我像是一头被困多时的斗牛，横冲直撞，一口气杀进了男单决赛。而且，在来到冠亚军决赛之前，我的每一场球都打满了三局，可以说，之所以能进决赛，完全是硬顶下来的。正是在这次日本赛中，我不仅战胜了自己的

1　全英羽毛球公开赛是世界上最早和最著名的羽毛球比赛之一，每年年初在英国城市伯明翰举行，从1899年至今已经举办了102届。在1977年国际羽联创办世界锦标赛之前，全英公开赛被当作非官方的世锦赛，在羽毛球运动中代表极高的荣誉。因此，羽毛球运动里一般意义上的“全满贯”，也包括全英公开赛的冠军头衔，是否获得过全英赛的冠军，也成为判断一个羽毛球运动员成就的重要参照之一。林丹在2004、2006、2007、2009、2012年五次夺得男单冠军。

心魔，而且有种突破瓶颈、茅塞顿开的感觉。

虽然最后决赛输给了师兄夏煊泽，只拿到日本站的第二，但这个亚军对我来说来得太是时候了。我迷茫、徘徊了大半年，突然又重新找到了比赛的感觉，而且坚定了自己训练的方向。

05

第一次问鼎全英，Super Dan 传遍全球

带着日本站的亚军，我满怀信心地随队伍出发前往福建晋江。我们要在那里为2003年夏天的伯明翰世锦赛进行封闭集训。

正如大家所知道的那样，当我们出发的时候，"非典"已经在全球肆虐，全世界陷入了一种难以名状的恐慌。为此，伯明翰世锦赛不得不一再推迟，甚至传出可能会取消。在不安的等待中，我时刻准备着迎接我的第一届世锦赛。

因为"非典"，队伍在管理上比平日的封闭集训更加严格，活动范围就是训练馆、食堂、宿舍，外出必须有假条。但我也不觉得特别枯燥。因为经过了日本站，我开始明白自己需要的是什么，心里就盼着世锦赛赶快到来。

那年夏天，我练得非常刻苦，也自认为效果不错，很想在第一次世锦赛的舞台上，尽情地展现自己。在一拖再拖中，世锦赛终于在伯明翰打响。因为"非典"疫情，中国队三个月内一项国际比赛都没参加，排名下滑得非常明显。我的世界排名也一下跌到40名开外，失去了世锦赛种子选手的资格。

结果，也许是宿命，我在16进8的比赛中就碰到了日本站时曾战胜过我的队友夏煊泽。那场比赛，我以0比2失利。比赛早早地结束，为我

的第一次世锦赛之旅写下了遗憾。

为了这次重要的战役，我准备了那么长时间，拼命地吃了那么多苦，但还是输了，这就是比赛。但是这种难过，我只能放在心里。

在那之后，我在现场目睹了夏煊泽半决赛击败鲍春来，最后又在决赛中成功问鼎。夏煊泽在队中人称"大嘴"，那是他的第一个世锦赛冠军。"嘴哥"也给我和鲍春来这些师弟们好好上了一课。而如今，他成了中国男单的主教练，是我们的"夏导"。

与此同时，小鲍世锦赛前四的成绩也深深地警醒着我。我们俩同岁，又是同一批进国家队的，这种竞争让我无法回避。同是第一次参加世锦赛，他打进了四强，而我连八强都没进。我再次为自己的前途担心起来。

很快，那年10月，全国第五届城市运动会（简称"五城会"）就在小鲍的家乡湖南举行。我和小鲍分别代表厦门队和长沙队出战。四年一次的城运会是国内规模最大的青少年综合性运动会，是对各省市后备力量的一次检阅，被称为"小全运会"。那年和我们一起参加"五城会"的还有刘翔、罗雪娟、易建联等，这些人后来都成为了各自领域里的佼佼者。

但是当时的我还没有意识到，这可能会成为我职业生涯的一道分水岭。我只知道，这对我而言是一次难得的机会。

在团体赛中，我和龚伟杰、谢鑫构成的铁三角，在不被看好的情况下，居然拿下了男团冠军。

但随后的男单比赛才是真正的较量。我和鲍春来一路势如破竹，杀奔决赛。不出所料，我们顺利地在决赛中会师。

结果比赛只打了两局，我就以15比9、15比12取胜夺冠。那年我们20岁，从此开始了长达八年的苦苦缠斗。

"五城会"后，在那年9月的丹麦公开赛上，我拿到了15分制下的第一个公开赛冠军，也是时隔一年半后再次夺得顶级公开赛冠军。在这次丹麦赛中，我第一次在赢球后向观众行军礼。有段时间，这甚至成了我的标志。不过，也只有在外战中战胜外国选手后，我才会这样做。

此后，我又连续拿下香港公开赛、中国公开赛等站的男单冠军。我

• ……… 2003年9月丹麦公开赛上林丹男单夺冠。©东方IC

的表现逐渐稳定下来，至少都能打进前四，决赛也是常有的。我把它称为世锦赛后的大爆发。

很快，2004年年初，我又回到了伯明翰，等待我的是第94届全英公开赛。前一年在伯明翰失去的，我要重新夺回来。

我一路杀进决赛，面对的是我年少时的偶像——丹麦名将皮特·盖德[1]。我记得第一局是盖德赢了，但是此后我连下两城，2比1实现了逆转。这是我首次捧起全英赛的奖杯。赛后接受采访时，盖德对我表现出的冲击力非常赞赏，并用了"Super Dan"这个说法，从此"超级丹"这个名字就叫响了全世界，并延续至今。

那届全英赛，中国队席卷四金，是历届比赛中成绩最辉煌的一次。在后来的庆功宴上，坚持到最后的没几个。我去给教练敬酒，小鲍还跟在我旁边，一个劲地往我酒杯里倒酒，说我杯子里装的是可乐。其实那天我们喝的是红酒和黑啤，根本没有可乐。那时候他已经不行了。

值得一提的是，在全英赛之前，我刚刚拿下瑞士公开赛的冠军，再次坐上男子单打世界第一的位置。也就是说，十天内连夺两项冠军。面对即将到来的雅典奥运会，这对我来说，无疑是一个激励。

回国后，不断有媒体找我采访、拍杂志封面，我都蛮开心的。那时候世界排名一下子飙升60多位，他们都称我是"火箭般的速度"。

---

1 丹麦著名男子羽毛球单打运动员，最高世界排名第一，并长时间地保持在世界顶尖男单选手的行列。

• ……… 2003年9—11月，相继在丹麦、德国、香港和中国公开赛上打进男单决赛并夺得三冠一亚的成绩后，林丹脚趾大拇指发炎，妈妈前来福州的宾馆探望。

• ……… 2004年3月15日，在英国伯明翰举行的全英羽毛球公开赛落下帷幕，中国队获得男、女单打和女子双打三枚金牌。中国男单选手林丹在先输一局的情况下连扳两局，以2比1战胜丹麦名将盖德（左），夺得冠军。©中体在线

06

兄弟齐心，其利断金：

汤姆斯杯—— 我的首个世界冠军

全英赛战罢，全队首要的重大战役就是5月的汤姆斯杯[1]。当时，中国队的上一次汤杯三连冠还要追溯到1990年。也就是说，代表着世界羽坛男子团体最高荣誉的汤姆斯杯离开中国队的怀抱已经长达14年了。

为了备战汤姆斯杯，我开始主动给自己加练。比如别人都休息的时候，或是节假日放假的时候，我依然会让自己保持竞技状态。之所以这样，就是因为经历了前几年的浮浮沉沉，让我觉得在中国羽毛球队不可能有什么天才，每个人每一天都在努力付出，都在暗自较劲。虽说是世界排名第一，但我还不是世界冠军。要爬到山顶看一看，并不是那么容易。一旦你有丝毫的放松，就很容易摔得粉身碎骨。于是我想尽办法，尽我所有的努力，让自己保持"世界第一"的好状态。

出发前，我们并没有志在必得的把握，只能去拼。2004年时的印尼队已实现了汤杯五连冠，而且这次又是主场作战，外界根本就不看好我们。说实话，那时候的我们都算新人，我是第一次打第一单打，男双的蔡赟、付海峰也是第一次出战汤杯，而且我们的男双始终被压制着，在国际舞台上还属于受欺负的角色。但恰恰就是我们这一批新生代，全队从头到尾团结一心，靠着一股顽强的团队力量，愣是在印尼主场把汤姆斯杯给夺回来了。

印尼雅加达的塞纳扬体育馆，是世界上非常特别的一个赛场。那里

---

1 世界上最著名的羽毛球男子团体锦标赛，创办于 1949 年，以英国男子羽毛球运动员、国际羽联首任主席乔治·汤姆斯命名。至今已举办 27 届，每 2 年举办一届。中国队曾 9 次夺冠，并在 2004 年—2012 年间实现五连冠。

的球迷非常疯狂。很多球迷朋友如果没有亲身体验过，可能都无法想象那是怎样的一种狂热。在那里打球，就好比正经历一场重量级的拳击比赛。我还曾开玩笑说，能去那里采访的记者，大概也能胜任战地记者，因为现场的分贝大到你必须准备一副耳塞。

我不知道该如何用恰当的语言来形容，我只知道在比赛中我根本听不到自己说话的声音，也听不到球拍击球的声音，更别说教练在冲我喊什么了。你耳边充斥的只有观众的欢呼声和给印尼队加油的助威声。在这样的环境下，很难做到心无杂念地专注于比赛。

小时候我去打印尼公开赛的时候，就有所体会。2004年的汤尤杯是我第三次去印尼，如今回想起来，仍能感受到当地观众带给你的山呼海啸般的震撼。

从出发去印尼之前，到后来的准备会，大家考虑得最多的就是观众的因素。因为对手之间相互都比较了解，就是怕一些外在的因素会干扰比赛。

凑巧的是，我们跟印尼分在了同一个小组。赛前，媒体对这个被称为“死亡之组”的小组的出线形势大加渲染。5月的雅加达气温高达35摄氏度，酷热难耐。媒体的推波助澜，把塞纳扬体育馆中狂热躁动的气氛推向了顶点。

中印之战如期打响。我记得第一场球，是由我对阵印尼选手索尼。我出场后，被主场观众的嘘声嘘得一塌糊涂，我顶了下来，拿下第一分。结果，到第二单打小鲍跟陶菲克上场的时候，小鲍受到的待遇远超过我，被嘘得更厉害了。陶菲克在那里就是所有人心目中的国民偶像，他不仅是世界上的顶级球手，而且形象也非常好，印尼的很多球迷观众都很喜欢他。给他的欢呼，和给他对手的待遇自然大不一样。

整场比赛中，每当小鲍回球时，上万人就会整齐地发出“呜”的声音来嘘他，而当陶菲克进攻时则是喊“呀”。于是，我们就在“呜”“呀”的交替中，度过了这场揪心的比赛。好在当时我们的大比分已经2比0领先，小鲍也表现得非常出色，2比0就把陶菲克赢下来了。那时候，已经有鲍春来是陶菲克"克星"的说法了。所以，小组赛我们很顺利地就以3比0获胜。谁也没想到会如此轻易地把印尼干掉，中国队以小组第一的身份挺进下一轮。

在这样一个特殊的客场，我们居然把东道主给拉下了马，全队都觉得很提气。

那一次，我跟小鲍住同一间房间。之前的2002年，他已经以第二单打的身份参加过汤杯，可惜在半决赛对阵马来西亚的时候输了球。当时还是第三单打的我，还没来得及出场，中国队就以1比3告负了。来到雅加达后，我们俩都没有想太多，只是觉得有这样的机会成为世界冠军，很想去努力一把，也算对得起自己、对得起团队了。

半决赛对阵韩国，我们顺利过关。跨进决赛的门槛，我们都很兴奋——我们的机会来了！

决赛对阵丹麦，作为第一单打，我必须面对盖德在全英赛失利后的"复仇"之战。大家心里都明白，如果第一场能够开门红赢下来的话，获胜的一方捧杯的概率就会更大。所以，在2比0赢下盖德之后，我难以自持地脱下球衣，跪地狂吼。想到这至高无上的国家荣誉，起身后我还敬了一个军礼。我倒不是刻意为之，只是情之所至。

赢完盖德后，我保持了在2004年汤杯上的5场全胜。我做到了我该做的，也圆满地完成了我的任务，剩下的就只有交给我的队友。

随后的第一双打，蔡赟／付海峰失利。第二单打，小鲍赢了乔纳森。中国队依然以2比1领先。为我们锁定胜局的，是第二双打郑波／桑洋。当他们拿下最后一分后，一个躺倒在地，一个跪在地板上，大家都旋风般地冲进场地，拥抱他俩。后来看录像才发现，当时有队友已经顾不上躺在地上的那个，直接从他身上飞过去，冲向了还跪着的那个。那一刻，我们拥抱在一起。我们都是世界冠军了，我们可以登上冠军榜了！

那是我职业生涯中最开心的一个夜晚。因为它最纯粹、最单纯。从我5岁开始打羽毛球起，我的梦想就是成为世界冠军。如今美梦成真，那种发自内心的喜悦只有身临其境才能明白。更重要的是，我还有那么多

• ········· 2004年5月16日晚，汤姆斯杯决赛中国与丹麦队的比赛在印尼首都雅加达上演。中国队第一单打林丹2比0战胜丹麦队的盖德，为中国队赢得开门红。图为林丹庆祝胜利。©中体在线_刘亚茹摄

• ……… 2012年汤姆斯杯夺冠后，林丹捧起冠军奖杯。 ©东风雪铁龙

•……… 2004年汤杯决赛第二场双打比赛中，蔡赟、付海峰不敌帕斯克、拉斯姆森。第三场单打中，鲍春来2比1战胜乔纳森。第四场双打比赛中，桑洋、郑波2比0战胜埃里克森、伦加德，为中国队锁定胜局。图为中国队队员林丹等冲进场内拥抱为中国队锁定胜局的郑波。©中体在线_刘亚茹摄

队友可以一起分享，那样快乐只会被更加放大。

尽管八年后的我已经实现“全满贯”，人们在计算着我能拿到的是第17，还是18个世界冠军头衔，可2004年的汤姆斯杯冠军，是我这么多冠军里面的第一个，也是最打动我的一个。与其说我怀念的是“第一次”，不如说是怀念那样的纯真岁月，那样的兄弟情义。

我以为升国旗、奏国歌的一刻会是我最激动难忘的，没想到回到驻地后还有更精彩的在等着我们。不知是谁提议的，我们打开汤姆斯杯的奖杯，把它洗干净之后又把庆功的香槟酒倒了进去。我记得倒了足足有三四瓶。因为我是主力，教练让我第一个喝，就这样，每个成员都举起来喝了一口，转完一圈后，里面居然还有酒。那晚的快乐，就像这喝不完的美酒一样，酒不醉人人自醉。

2012年5月，汤尤杯时隔10年后再一次在中国举办。10年间我从低谷走到全满贯，6战汤杯，连续5次夺冠，收获了自己第16个世界冠军头衔。

我的老朋友们，像盖德、陶菲克、李宗伟都说，这可能是他们的最后一届汤杯了，在有点感伤的同时，我也要感谢这10年中有他们同行。

年轻的时候，当你要穿上国家队的战袍第一次参加大赛时，你可能会因为兴奋而睡不好。当你成绩越来越好之后，所有人又希望你一路胜下去，你又会因为紧张而睡不好。而现在，我不知道我还能打多少届汤杯。我只希望在有限的时间里，留下尽可能圆满的回忆。

荣耀留在过去，未来更加可期。

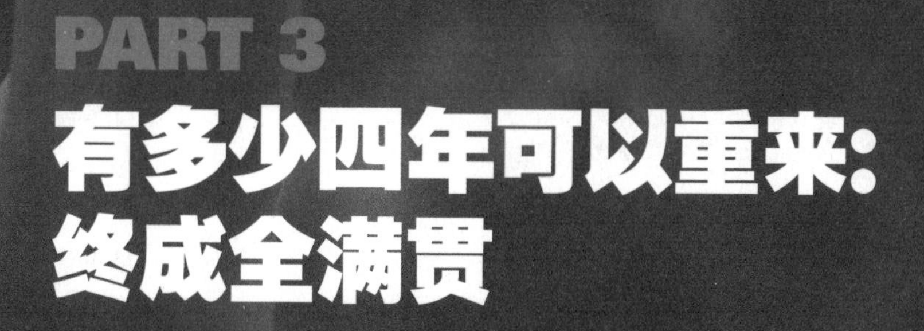

PART 3

有多少四年可以重来：终成全满贯

01

雅典·梦一场

奥运会就像是一盒巧克力糖，不等你自己去把它剥开，你永远不知道等待你的是什么滋味。我在雅典得到的那颗巧克力糖，是世上独一无二的。

那年夏天，对雅典奥运会的向往占据了我生活的全部。然而，随后两个多月的备战中发生的故事，让我的人生在此转了个弯。

奥运集训地选在了湖南益阳，就是前一年我夺得城运会男单冠军的地方[1]。但在集训期间，我却意外地受伤了。当时以为不是什么严重的伤，但后来的事实证明，这对我的影响是致命的。

有一天训练中，我不慎把脚后跟磨破了。磨破一块皮，说起来是很小的事，我也没有太注意。所以后来还跟队友一起去练了沙坑，结果就感染了。当晚回到宿舍洗完澡，就觉得有点疼。第二天醒来起床一看，整个脚后跟都肿得老高，根本没法训练。队里建议我休息两天。可是两天后，伤势并没有好转，也没有消肿的迹象。这才赶紧去医院挂吊瓶、

1　2003 年第五届城运会的主办地是湖南长沙，但羽毛球比赛在益阳举行。

打消炎针，又这样连着挂了三天的吊瓶。前后算起来，我已经停训五天了，可我还是无法回到训练场上。那时候我开始心神不宁了。

这是我之前从未经历过的，除了干着急，竟没有一点对策。就算现在，我还是会为当时的林丹感到焦急。只是，现在的我懂得该如何应对了。

后来的这些年，我也经常会在训练、比赛中磨破脚，或者是脚上的大拇指发炎，但我和我的大夫知道怎么处理是最保险，也是效果最好的，知道怎么才能让我尽快回归。但2004年的时候，我们谁都没有经历过。这就是学习的过程，而这个过程是要付出代价的。有些事情就是没有捷径可以走。

那时年轻，虽然外界都说我有股霸气，可那种霸气想来其实很脆弱，因为太年轻的我，很容易就因为一个人或一件事被干扰。

就在即将结束封闭集训返回北京的前夕，还发生了一件说起来很传奇的事情。直到现在，我都觉得这是段神话。

当时，作为集训期最后的团队活动，我们全队来到了毛主席的故里——湖南湘潭的韶山冲。在参观完毛泽东故居后，队友们决定一起跑步上山，去半山腰上的毛家祖坟祭拜。我记得那天天气非常热，我想他们大多数人都去了，少我一个也没关系，就和另外几个队友躲在大巴上打扑克。等大部队都回来了，临走之前，所有的工作人员、教练和运动员要在广场上合影留念。我记得很清楚，那个摄影师还一个劲地叫我们抬头看镜头。可是天太热了，阳光又刺眼，照得我根本睁不开眼睛。我那时很不耐烦，还开玩笑地转头对着旁边的毛主席铜像说了句："主席，你热不热？"换作是现在的我，肯定不会做出这么幼稚的举动。结果，不知道是不是因为这个不敬的行为，我在雅典第一轮就出局了。

现在回想起来，当时真是年轻气盛，心态也比较浮躁，好像什么都无所谓，但其实是幼稚。所以2004年奥运会打完以后，我跟朋友说，之前我跟毛主席开了个玩笑，到雅典后毛主席也跟我开了个玩笑。

整件事情中，让我觉得最神奇的地方在于，当时上山祭拜的队友们有的人敬酒，有的人敬烟，只有张宁最特别——她点了三支烟。结果，一起祭拜的人有很多，但只有张宁最后拿了奥运会冠军。我还听说，2000年悉尼奥运会前，孔令辉在与瓦尔德内尔的比赛前，也曾在衣服内侧别了一枚毛主席像章，最终孔令辉成就了大满贯。

说起这个“神话”，倒不是因为迷信。而是我后来觉得，也许这说明了，人总要有所敬畏，才不至于太浮夸，才能脚踏实地一步一步走得稳当。当然你也会发现，那时候的林丹并不是不谦虚，但是“世界第一”的位置把他捧得太高，不接地气。那时的林丹像个气球一样，风一吹就跑，手一点就破，好像随时要爆炸。

但当年的我，还没有意识到这些。我们离开益阳，打算返回北京作最后的准备。走的那天，益阳当地的市民和球迷自发地组织了腰鼓队，在马路两边夹道欢送。那敲锣打鼓的场面，真让我有种悲壮的感觉。所有人都把我视作奥运会羽毛球男单冠军的头号热门，这也是我自己的目标。

队伍中，即将参加雅典奥运会的鲍春来、龚睿那、郑波都是湖南当地人。每个人都对那年夏天充满了期待。我记得出征前，龚睿那的家人还特意为她送来一副羽毛球形状的金耳钉，只为博个好彩头。而后来有媒体说，我在行李箱里甚至准备好了一顶军帽，就等着夺冠后，不仅要敬军礼，还要戴军帽。这个我需要澄清一下，绝对没有这回事。我不知道这是怎么谣传起来的，虽然那时候我还很年轻，但我不会愚蠢到那个程度。

抵达雅典后，发现各方面条件都一般——饮食不是特别理想，比赛场馆也离得挺远的。慢慢地，我就开始感觉到有点紧张了。

我发现，当我什么事情都特别想做好，比如我想睡得再好一点、吃得再好一点时，我就知道自己开始紧张了。因为我想万无一失，这时的我会在意很多。

抽签结果出来，我第一轮对阵新加坡的罗纳德·苏西洛，我当时就感觉第一场球挺不好打的。我知道这个对手很难缠。因为在年初的全英公开赛上，我刚刚在半决赛中赢过他。虽然比分是2比0，但我已知道他不好对付。

•……… 2004年8月16日雅典奥运会首轮，新加坡选手苏西洛2比0击败头号种子、中国选手林丹。©东方IC

•……… 雅典奥运会首轮出局后，输球的瞬间，林丹表情落寞。©东方IC

苏西洛这名球员并不像大家想象的那样不堪一击。苏西洛是位出生在印尼的华裔选手，虽然他名气不是很大，但他的球还不错。正因为这样，我当时的心态并没有调整好，卡在一个不上不下的状态，就是觉得他虽然不好打，但拿下应该没问题吧。

因为担心这担心那，对自己也没有一个恰当的定位，第一场球上场后，感觉自己怎么也释放不出来。相反，我对手的出手、状态都特别棒。打了几分我就发现，这场球我将会打得非常艰苦。

第一局我就输了。当时有点发蒙，有点不知所措的感觉，只想着“我先把球打过去吧”，没有什么目的性。而局间休息时，教练跟我说了些什么，我也忘了，只记得当时李永波教练老叫我进攻。可我发现在执行的过程中，进攻的效果并不是特别好。我的对手准备得实在太充分了，而面对所谓的世界排名第一，对手的心态一直是冲击我，这导致我的进攻线路不是特别好，成功率一点都不高。进攻得不了分，再加上第一局已经输了，很快就变成比分一直落后，一直落后。

0比2，世界第一首轮出局。比赛结束的一刹那，我根本就反应不过来。这就完了？就结束了？打完以后，我给谢杏芳发短信说“我输了”，她根本就不相信。

下场之后，教练只是说，这是为年轻付出的代价。其实我觉得，雅典的挫败不能用“年轻”“代价”简单地带过。我始终不承认2004年奥运会上的林丹表现得不好。其实我也打得很努力，只是我的对手发挥得比我更理想。竞技体育就是这样，你得将自己稳定在高水平的状态，不然就会输球。

这不是所谓的代价，而只是回归到了体育本身。我并不是因为自己不重视这场比赛导致出现“非战斗性减员”，也不是因为一些生活上的事情没有处理好，导致最终输掉比赛。只是那天罗纳德打得更好，就是这样。

输完球回到奥运村的房间后，小鲍他们都知道我输了。那天他也有比赛，已经晋级到了下一轮。于是，他安慰我说：“没关系啦。”然后就休息了，因为第二天他还有比赛。

洗完澡后躺到床上，为了不影响小鲍休息，我开始躲在被窝里给所有朋友回短信。那天的比赛因为是第一轮，并没有电视直播。所有人先是不相信，紧接着就是都来安慰我，希望我没事。我都告诉他们，我挺好的，没什么。

话是这么说，但心里肯定难受。短信就这么发着发着，发了一整夜，印象中雅典的天慢慢就亮了，真的是彻夜未眠。

等我早上起来，新的一天又到来时，我这才反应过来——你的奥运之旅在昨天晚上就已经结束了！

可是我没有办法在那里自怨自艾、顾影自怜。因为我的同伴们还有比赛要继续，我还要帮他们加油，帮他们搜集对手的资料、录比赛录像，帮他们搞后勤服务。只要他们有任何需要帮忙的，你就要第一时间赶过去。一大堆琐碎的事情，让你逃不开赛场。你还得继续面对，这是最痛苦的，比输球还痛苦。

想到接下来还有这么多天，我要怎么熬过去？我就给我们八一队的高主任打了个电话，我说：“你有没有办法把我先弄回去？我不想待在这个地方。”当时我只剩下这一个想法了。

我明白，整个代表团都要集体行动，我这只是个空想，但我没有别的办法。电话那头，高主任冷静地开导我，他说其实现在的情况对我而言也是一种磨炼。“没错，你在那儿是有很多你不愿意面对的、不愿意看到的、不愿意回到的一些地方，比如看到你的对手，回到熟悉的那片赛场。但越是这样，对你的锻炼价值越大。而且，你还要拿出很好的姿态来，积极地去给你的同伴们加油。”我听了他的话。

于是，我在雅典前后一共待了近三个星期。因为我们是提前四天抵达的，比赛结束后，本来我们打算马上就回国的，但这时候，李导（李永波）的太太谢颖也带着艺术体操队来到了雅典，他们的比赛也开始了。后来李导就决定，等他们比赛结束后一起走。所以，在羽毛球比赛结束后，我又在雅典多待了一个星期。每一天都很煎熬，非常难熬。

后来再回想，奥运会前的训练我有点偏保守，只重质量，一味地追求“精”，而忽略了其他必要的训练。不像汤杯之前，什么都想练，什么都想提高。比如，以前训练中我跑步会跑四组，在益阳集训时我只跑两组；以前每周六训练结束后，我会主动加练跑楼梯，但在益阳时没有。不是说跑步多跑两组、多登几级楼梯，我就能在奥运会上拿冠军，而是说我对训练中的一些细节要求得太细、太精益求精之后，整个人就不够放松，反而偏离了正常的训练轨道。

在雅典，我目睹了陶菲克从8进4、4进2到最后夺冠的过程。2004年雅典奥运会之后，陶菲克是奥运冠军，而我是世界排名第一。在那以后的四年里，我和他的故事就不再只发生在赛场上，我们俩之间的任何细枝末节都会成为媒体和球迷的谈资。

02

北京·三杯聚首，中国独有

2005年的时候，世界上还没有一个国家能同时拥有代表世界羽坛至高荣誉的三座奖杯——汤姆斯杯、尤伯杯[1]和苏迪曼杯[2]。继2004年汤尤杯雅加达一役后，中国队想用苏杯锦上添花。

5月，当苏迪曼杯来到北京时，正是中国羽毛球队1995年首夺苏迪曼杯的10周年纪念。1995年的苏迪曼杯是李永波任总教练以后，中国队夺得的第一个世界冠军，也是葛菲和孙俊这对"金牌夫妻"的第一个世界冠军。10年的山重水复后，夺取苏杯的重任交到了我和谢杏芳手中。

虽说前一年我为重夺汤杯立下了汗马功劳，但我跟谢杏芳却都还没有参加过苏杯。

2003年春天，中国队兵败埃因霍温[3]，我和谢杏芳没能亲临现场。看过那场决赛的人，定能清晰地记得当年的痛楚，因为中国队原本有机会实现苏杯五连冠。

2000年悉尼奥运会，张军／高崚在1/8决赛中战胜世界头号混双金东文／罗景民，爆出一大冷门，其中第二局更只让对手得到1分，令韩国人颜面尽失。谁知，当他们2003年在苏杯决赛中狭路相逢时，金东文／罗景民组合回敬了张军／高崚一个11比0[4]。一分未得，这也许是这对"黄金组合"这辈子最惨痛的一场失败。赛后，两人被李永波教练骂得无言以

1　即世界女子羽毛球团体锦标赛，创办于 1957 年，至今已举办 24 届。其奖杯由英国女子羽毛球运动员贝蒂·尤伯向国际羽联捐赠，故命名尤伯杯。尤伯杯的每场比赛由两队各派三名单打和两队双打参赛，五场三胜。中国队从 1984 年到 2012 年已连续 15 次打入尤伯杯决赛，并曾实现创纪录的六连冠。

2　即世界羽毛球混合团体锦标赛，通称苏迪曼杯，由国际羽联创办于 1989 年，每 2 年举办一届。苏迪曼为印尼“ 羽毛球之父 ”。苏迪曼杯的每场比赛由两队的男女单打、男女双打和混合双打各进行一场，五场三胜。中国队自 1995 年至 2011 年连续 9 届打入决赛，并 8 次夺冠。

3　2003 年在荷兰小城埃因霍温举行的苏迪曼杯决赛上，中国队以 1 比 3 负于韩国队，痛失冠军。

4　当时在男单、男双比赛中，单局为 15 分制；而在女单、女双和混双比赛中，单局为 11 分制。

•……… 2005年5月15日，第九届苏迪曼杯世界羽毛球混合团体锦标赛决赛在北京首都体育馆进行。林丹赢得比赛后向观众敬礼。©东方IC

对。中韩混双也就从那时起结下了“梁子”。

而在龚睿那为中国队拿下女单这一分后，第三场男单中国队派出了陈宏，但他以0比2败在李炫一拍下。依靠还是“菜鸟”级水平的男双已无力回天，中国队最终1比3告负，失去了垄断八年的苏迪曼杯。回国后，就连教练组临场的排兵布阵也遭到了质疑。

就这么苦等了两年，中国队终于在北京迎来了“复仇”的机会。“苏迪曼杯还在韩国人手里！”这句话一直警醒着中国羽毛球队的每一个人。

那次苏杯在北京首都体育馆举行。说起首都体育馆，又有另外一段渊源。

从苏迪曼杯诞生之日起，就带有对付中国军团的意思。那年，中国队刚刚在首都体育馆包揽了世锦赛五项冠军。可是，世界羽坛从来不是中国人独步天下。在最初的三届苏杯中，作为运动员的李永波一直未能问鼎金牌。尤其是首届苏杯，中国队占据五项世界第一，却在半决赛中意外负于韩国，成为1989年世界羽坛的一条爆炸性新闻。

2005年，当苏迪曼杯来到北京时，所有人都认为，韩国将是中国队重夺苏杯的最大威胁。他们甚至召回了一度离开国家队，已经九个月没有参加过一场比赛的传奇混双金东文、罗景民，目标就是卫冕。

按照惯例，苏杯的五个单项中女单和男单分别是第二、第三个出场。我和谢杏芳同时以世界第一的身份入选了那届苏杯阵容。

半决赛，我们终于等来了韩国。然而，"太极虎"大打太极，公布的出场名单令人大跌眼镜。他们在男单、男双、女双中分别起用了三名还没有在本次苏杯中亮过相的新人。备受瞩目的混双这一场，他们反倒雪藏了金／罗组合，只是派出了李在珍／李孝贞。

在张军／高崚顺利拿下第一分后，中国队就势如破竹，3比0结束了战斗。而在另一场半决赛中，印尼淘汰了丹麦，苏杯决赛演变成中印对决。

我知道，决赛中我跟陶菲克的这一战，是我必须面对，也必须拿下的。

小组赛中印尼队曾蒙受0比5之辱，成为中国队的手下败将。谁都知道，决赛中，印尼人绝不会轻易缴械投降。小组赛中，陶菲克休战，我们擦肩而过。决赛前，陶菲克主动放出话来，说："林丹在印尼公开赛上不是说要赢我吗？我倒要看看明天他怎么赢。"

陶菲克指的是2004年的印尼公开赛，中国男单虽然有我、陈宏、鲍春来三人打进四强，但半决赛中陶菲克2比1赢了我，继而又在决赛中打败陈宏夺冠。

这样的话题，媒体自然不会放过。当他们把陶菲克的战书放到我面前，我也没有客气，我说："明天我会好好修理他的。"

这是我的正名之战，也是一场男人之间的较量。在张军／高崚和张宁为中国队拿下前两分后，第三场男单如期而至。

苏迪曼杯是以印尼羽协前主席苏迪曼先生的名字命名的，印尼人自然也想把苏杯带回家。赛前制订参赛名单时，李导问我对打陶菲克有没有"信心"，而不是问有没有"把握"。我明白，陶菲克依然是我面前的一道屏障，我必须放低自己的位置。我不能让我的队友，让主场的中国观众失望。

17比15、15比9，比赛最终是我2比0取胜。我把那次苏杯唯一的一个军礼献给了这个冠军。有人统计过，那场历时59分钟的鏖战，共更换了37只羽毛球，可见比赛的激烈程度。

那是我的第一届苏杯。没想到我们如此顺利地晋级决赛，而提前出局的却是丹麦和韩国，这才使我有机会好好地和陶菲克拼一次。

我最开心的，不仅是由我亲手把苏迪曼杯留在中国，而且是以击败陶菲克这样不能更完美的方式。我很想为自己争口气，也不允许他那样看轻中国男单。

从1995年的首次捧杯，到2005年在北京旧梦重温，10年梦萦苏迪曼，中国队终于第五次捧杯。

5场比赛未失一盘，中国队在那次苏迪曼杯上取得了完美的结局。庆功宴选在了首体对面的湘菜馆，酒是李导亲自选的"皇家礼炮"，究竟喝了多少已无从统计，但我记得的是，对酒的苏打水就搬了整整6箱。这让我又想起了前一年在雅加达"痛饮"汤杯，也想起了在雅典时的苦涩滋味。微醺中，高兴之余竟有点难受，在向教练敬酒时我说："失去的，我都会一一夺回来。"

从2003年痛失苏杯，到2005年5月15日苏杯留在北京，我用两年的时间，和队友一起夺回了苏迪曼杯。而要夺回奥运冠军，我需要再花三年。

苏杯夺冠后的第二天，我们从首体回到天坛公寓。汤姆斯杯、尤伯杯、苏迪曼杯终于在李导的办公室三杯聚首。国家体育总局训练局局长阎世铎送来了一个大蛋糕，上面写着八个大字"轻取苏杯，08称雄"。

在我的前辈葛菲、孙俊家里，有两个壁橱陈列着两位主人所获的各种奖牌、奖杯。其中有三枚金牌是成双成对的，那就是第四、第五、第六届苏迪曼杯金牌。

而现在在我和谢杏芳的家里，2005年、2007年、2009年的苏迪曼杯金牌，也是成双成对[1]。我们不辱使命，这是我们对前辈最好的致敬。

1　这三届苏杯，林丹和谢杏芳都是中国队的主力成员。

•……… 2005年苏迪曼杯决赛，中国以3比0战胜印尼队，捧得冠军。图为中国队队员鲍春来、林丹举起苏迪曼杯。©中体在线_魏征摄

03

阿纳海姆和多哈不属于我

如果说雅典只是从所谓的"世界第一"向顶峰攀登的第一步，那么随后的阿纳海姆和多哈，则像是前进路上遭遇的疾风骤雨。它们迎面而来，你扛住了，全世界都属于你；你若被打垮，脚下就是万丈深渊。

2004年之前，我和陶菲克并没有怎么真正地交过手。我们几乎没有在大赛的决赛中相遇过。而经过了2005年苏杯决赛中的一场血战，我对当年的世锦赛充满了期待。

羽毛球世锦赛那次罕见地离开了欧亚大陆，来到了美国洛杉矶的阿纳海姆。抽签的结果是，我和陶菲克被分到了上、下两个半区。那时的李宗伟还没崛起，男单冠军之争多半便是看我们俩的了。

看到陶菲克半决赛战胜李宗伟，或者是之前赢文萨，你会发现，当时的陶菲克状态非常好，想夺冠必须过他这一关。

但那时候，他并没有真正震慑到我，因为那是我们第一次在大赛的

2005年8月21日，第十四届世界羽毛球锦标赛男单决赛在美国阿纳海姆箭头池体育馆进行。印尼选手陶菲克以2比0击败中国选手林丹获得冠军。©东方IC

单项决赛中交手，我对他的了解还很肤浅。我当时想的还是，我要如何通过我和教练一起制定的战术去限制他。但我和教练忽略了很重要的一点：我们并没有意识到，当外在的因素限制到我们的发挥水平的时候，相比之下，陶菲克会比我老练很多。

比赛的结果惨不忍睹。只用了36分钟，陶菲克就直落两局赢了，而且第一局还曾以13比0领先。这直接就导致我在场上垮掉了，两局总共只得10分。对于这样耻辱性的失利，后来有球迷留言说："即使换成右手，也不至于输得这么惨吧？""无冕之王林丹显然是个大话王。"甚至有人说："我宁愿他第一轮就输掉，也不要受这样的折磨。"

这是陶菲克的第一个世锦赛男单冠军，同时也成就了他集奥运会、世锦赛、汤杯冠军于一身的"大满贯"，他也非常高兴。况且，在决赛中，他还是以完胜的方式击败了我。

"等待了这么多年的大满贯，竟然如此轻易地得到，真有点不敢相信。"陶菲克赛后这么说。

"半决赛打败盖德的林丹和决赛中的林丹，完全是两个人。我可以很轻松地调动他，从而控制比赛节奏。本来我准备了很多套战术，我们相互之间各赢过几次，我更看重在比赛中学习到的经验。例如在苏杯上，我从林丹那里学到了一些，并且成功地运用在随后的比赛中。他的速度很快，但是我的打法不是太消耗体力，所以比赛拖下去对我有利，我的胜率也更高。不过一开场我什么战术都没换，就已经13比0了……”赛后的新闻发布会上，陶菲克的这席话也令我自省。

阿纳海姆的箭头池体育馆非常开阔，它并不是专业的羽毛球馆。在夏天举行羽毛球比赛，空调的风向成为困扰所有选手的最大难题。这也令阿纳海姆成为历届世锦赛上诞生冷门最多的地方。美国男双的夺冠，新西兰、泰国的混双首次杀进四强，都一再说明，在这里能最终夺冠的不一定是实力最强的，却一定是最幸运的。而中国队这边，却是周蜜女单首轮出局，奥运冠军张军／高崚无缘混双四强。所以严格来讲，那场球我不是输给他，而是输在了当时我的能力还没有办法驾驭那样多变的场地。当出现像风向这样不确定的因素时，我发现自己很容易受影响，一下就不自信，也放不开了。

在那样的条件下，只有当时鼎盛期的陶菲克一个人能控制得很好，只有最顶尖的陶菲克才能驾驭那样的场地。在2005年的时候，他当时的技术，说实话，确实要比任何一个男单选手都要先进，这是我承认的。

陶菲克有先进的技术，最主要的是，他有他的自信。我发现他在场上特别自如、镇定、目空一切。这就是一个经历过很多大赛、拿了很多冠军的运动员所散发出的一种很自然的魅力。

其实，风向对陶菲克不是没有影响。他也认为，能在这个场地夺冠的，一定最幸运。但是他说：“风大得难以捉摸，而我从来不想捉摸不透的事情。”而他甚至还开玩笑说，“一开始我也问了几个队友，发现原来风在每个场地、每个时间都是不同的，那我干脆不去想这事了。林丹就是想得太多了。”

从成就大满贯的那天开始，陶菲克就瞄准了北京奥运会，因为还没有人蝉联过奥运会羽毛球男单冠军[1]。不过，那时候的我还没有办法想那么远。只是，我依然感谢陶菲克后来说的那番话：“不要以为我今天赢得

1　羽毛球从 1992 年巴塞罗那奥运会开始列入正式比赛项目，男单历届冠军为魏仁芳（印尼）、拉尔森（丹麦）、吉新鹏、陶菲克（印尼）和林丹。

很轻松，就意味着什么。今天这个绝对不是真正的林丹。我在2000年奥运会的时候已经是头号种子，直到两年后的亚运会才有真正的成绩[1]，而我的奥运冠军离我的世界第一也隔了四年。林丹估计也是这条路。但他要拿奥运冠军，还要过我这关就是了。”

说句开玩笑的话，当年的陶菲克猜中了结局，却没猜中过程。但我依然看重陶菲克在那场比赛中教给我的一些教训。

比起奥运会首轮出局的“猝死”，世锦赛上的林丹无疑是“自杀”。不过，再痛也痛不过奥运会。我记得世锦赛那场球结束后，我在全队总结的时候提出了一点——我跟男单组的教练还有所有队友说，现在的中国运动员，没有一个人的打法有能力去驾驭有不确定因素的场地，一个人都没有。当时我说完以后，相信肯定有很多人心里会不舒服。但我是那届世锦赛上中国男单成绩最好的，我每天跟他们在一起训练，在一起比赛，我非常了解他们，真的就是这样。

临去美国前，在晋江的25天集训，每天100分钟的技术训练课是我最珍惜，也练得最投入的时候。每次大赛前，教练都要给我控制训练量。男人或许只有经历过失败和坎坷之后，才能成大事。

有些巧合的确很难解释。晋江集训即将结束时，我的脚底又磨出了血泡，不得不在房间里休息了两天。这一切竟和雅典奥运会前的益阳集训惊人相似。但多少还是有些不同。益阳时的林丹用心保护着自己，缺席了最后的队内热身赛；晋江时的林丹太珍惜最后的训练时间，刚能下地就拼命地折腾自己。在全队的身体指标测试中，我的疲劳指数和我的战绩一样，总是位列前茅。教练后来给我的评语是：林丹个性外向，出状态容易，出意外也不难。

一年后的多哈亚运会，是又一次的华山论剑。中国队在团体赛小组赛、决赛中面对印尼时连战连捷。而我也在三天内连续两次战胜了陶菲克。

1　在2002年釜山亚运会羽毛球男单决赛中，陶菲克击败韩国的李炫一夺冠。

• ……… 2006年12月9日，在多哈亚运会羽毛球男单决赛中，林丹0比2负于陶菲克，屈居亚军。©东方IC

然而，最终我还是输掉了分量最重的男单金牌，而决赛中的对手正是之前刚刚两连胜的陶菲克。

当时，我刚刚在三个月前赢得自己职业生涯中的重要一战——马德里世锦赛。成为单项世界冠军后，我自以为这时候的林丹比一年前的自己更成熟了一些。当时所有人包括李永波教练都觉得我与陶菲克的亚运会决赛会是一场2比0的比赛。然而，他们猜中了比分，却猜错了胜负。

那一晚，整个体育馆拥进了大量的印尼球迷，连台阶上都坐满了人，体育馆外的栏杆外还拦着数百号人。决赛之夜，整个体育馆几乎处于失控的状态。所有的一切都在催促我“快”，裁判催我赶快发球，不允许我擦汗或是换球，这打乱了我自己的节奏。我原本在第二局有非常好的机会，以20比17握有三个局点。眼看比赛就将被拖入决胜局，却一时大意被陶菲克追到了20平，最后以15比21、20比22输掉了我非常渴望的这块金牌。就这样，我眼睁睁地看着陶菲克时隔四年之后再次登上亚洲之巅。

巧合的是，也许是在团体赛中消耗太大，而其他国家的选手都把精力放在了单项赛中，中国女单那一次也提前出局。谢杏芳和张宁先后倒在半决赛中，最后的女单决赛变成了王晨和叶佩延之间的中国香港内战。

后来，李永波教练在面对媒体时说：“短短一个星期内三次交手，这恐怕创下了世界羽坛的一个纪录，以前从没有过的。如果三次都是林丹赢，那他们就不是同一级别的对手了。这样连续的高强度的比赛，哪怕林丹是和一个普通队员打，打10次也总有输的时候。我认为正常情况下，林丹赢陶菲克没问题，他比陶菲克要更全面。"

但我心里明白，其实我并没有跨过那道坎。"心病"若不除，一旦到了关键时刻，我还是会出现一些毛病。

2005年世锦赛我输给陶菲克，而且是惨败；2006年多哈亚运会，我还是输给了他，而且这两场都是决赛。我发现，陶菲克已经是我必须要过的一道坎了，没有人能够帮我。

"亚运会我又输了，奥运会我甚至还是第一轮出局，所以将来面对这样重大的比赛，我一样还是会紧张。"当我在全队总结上作出这样的反思时，有很多队友都不同意我的看法。他们觉得通过努力，是可以让自己排除干扰、化解这种紧张的。当然，我理解他们。但是有些时候，理论终归是理论，发生在每个人身上又会不一样。我很真实地把我的体会告诉自己，告诉我的教练，包括我的队友，我说："我还是会紧张，因为那是我从没问鼎过的冠军，我一定会紧张。"

亚运会结束后，国家体育总局副局长蔡振华非常关心我，他也问我到底发生了什么。他说："我想看到你的总结，对2006年多哈亚运会那场决赛的总结。"

通过与蔡局的谈话，我也在自问："如果在2008年的奥运赛场上或者将来的大赛中，我的每个主要对手都发挥得这么好，我怎么办？当比分开始落后，或是对手当天发挥得超好的时候，我心里是怎么想的？是怕了，不敢打了？又或者是，我的战术还有没有可以再提高的地方？"2006年，陶菲克给我留下了一长串问号。

04

马德里·不思议

第一次问鼎汤杯时，是一种纯粹的快乐；而第一次在世锦赛上登顶，则是一种不可思议的瞬间空白。

从2004年开始，我连续两年半占据世界排名第一的王座，公开赛冠军也拿了无数，有人称我是“无冕之王”。2004年的雅典、2005年的阿纳海姆，我领跑了大半程，最后却都功亏一篑。我一度甚至害怕听到别人叫我“超级丹”，因为“超级”好像就不应该输球。

时间来到2006年。上半年，我们卫冕了汤姆斯杯。就在备战世锦赛的当中，发生了一段小插曲。有一次我和几个小队员犯了队规，教练震怒，在没想好怎么处罚我之前，教练先当着我的面，让那几个小队员收拾东西回家。我当即出面承担了全部责任，只希望教练能给几个小队员一次改过的机会。当时因为马上要出征马来西亚和中国台北两站公开赛，我便立下“军令状”：如果能拿回两个冠军，希望教练能从轻发落；如果不能，愿意接受任何形式的处罚。

结果是一个冠军、一个亚军，我必须接受惩罚了。那是一个星期天，全队放假休息，我一个人到训练馆，用一天的时间把整个球馆扫了一遍，又擦了一遍，然后又把全队用作多球训练的每只羽毛球重新挑拣整理好。当时我一边干活，一边脑袋里想到的都是樱木花道打扫篮球馆的形象。也许，我也是这么个让人“又爱又恨”的形象吧。

我们再次回到晋江封闭集训，为9月的马德里世锦赛作准备。就在世锦赛之前，鲍春来刚刚在韩国首尔夺得了他五年来的首个六星级赛事[1]

---

1 在2007年改革赛制之前，世界羽毛球赛事除奥运会、世锦赛、汤尤杯外，各国举行的公开赛等赛事根据奖金与积分的不同，分为1~6级，六星级为最高级别。

冠军。他带着这分信心和好运，希望在世锦赛上更进一步。小鲍与陈金、李宗伟、李炫一分在上半区，而我则与陈宏、盖德、陶菲克分在了下半区。

我一直作着打硬仗的准备，但半决赛我没有等到陶菲克，而是我的队友陈宏。随后在决赛中，等待我的则是鲍春来。

此前连克索尼、李宗伟、李炫一闯进决赛的鲍春来信心达到顶点。果然，决赛中首局他就以21比18先下一城，把我逼得无路可退。我可以感觉到小鲍在那场比赛中展现出的决心。换边之后，他依然没有给我太多机会，比分打到17平。庆幸的是，这时我打出了一轮小高潮，连拿4分将比分扳平。那场比赛我们都没有场外指导。李永波教练受央视邀请，担任了那场比赛的解说嘉宾。后来我听说，他在比赛打到决胜盘后表示："以我对林丹的了解，打满三盘的比赛，一般都是林丹胜出的概率比较大。"也许这么说在统计学上有其意义，但其实那不是我打球的风格。先输一局会给自己带来很多麻烦，也会让我感受到更多的压力，如果能够轻松地以2比0击败对手，我有什么理由不那么做呢？

不过，结果倒恰好应验了李导的预测——决胜盘在小鲍体能下降的情况下，我以21比12结束了战斗。

球落地的一刻，我竟不知该如何迎接自己的第一个单项世界冠军。一切来得太快，我都没有反应过来。我躺倒在地，用衣服蒙住脸，没有起身，很久很久。而球网的另一边，鲍春来在向全场观众致意。听朋友说，当时因为插播新闻，决赛的直播信号直到这时才又重新切回去。他们在电视机前看到这一幕，差点以为夺冠的是小鲍。

这一切发生得太快，有一段时间我的脑袋里竟一片空白。原来这就是所谓的幸福。包揽男单冠亚季军在中国羽毛球队历史上还是第一次。那次，我的师哥陈宏击败了卫冕冠军陶菲克闯进四强，为我的最终夺冠铲除了一道障碍。因此有人说我这个冠军有点"坐享其成"。其实我打得并不轻松，有时候，面对队友的困难相反还大一些。不容易放开打，到了关键分或比分接近的时候压力更大。和陈宏的半决赛、鲍春来的决赛都打满了三局。我也很紧张。比赛赢了，也没有酣畅淋漓的舒畅，比赛

•……… 2006年9月23日下午，第十五届世界羽毛球锦标赛在西班牙马德里开始了男单半决赛的争夺。中国选手林丹以2比1逆转队友陈宏后挺进决赛。©中体在线_魏征摄

• ········ 2006年马德里世锦赛林丹夺冠的瞬间。©中体在线_魏征摄

中甚至连叫都不敢叫，感觉上总有些怪怪的。

这么多年来，世界冠军一直是我的梦想。虽然2005年年底我拿了世界杯[1]的冠军，但还不够有说服力。等了一年后，我终于把握住机会。回过神来之后，我告诉自己是世界冠军，当之无愧的冠军，这个很重要。

因为决赛中面对的是自己的队友，所以夺冠并没有让我太激动，只是让我感觉到踏实了。我记得8进4的时候，陈金被淘汰了，但那天晚上回来之后，他睡得死沉死沉的。而我夺冠后的感觉也和他那晚一模一样——这一切终于结束了，悬着的心终于落地了。

2005年阿纳海姆世锦赛，首先出场的谢杏芳尽了最大的努力，赢得了她职业生涯中第一个世锦赛冠军。但随后，我却让她与我一起接受了我的一场惨败。马德里是阿芳的卫冕战，决赛中面对的依然是张宁。决赛前我们就互相鼓励，但我们基本不谈球，因为我们彼此相信对方能

1　20世纪八九十年代，羽毛球的三大顶级单项赛事为奥运会、世锦赛和世界杯，后因赛程密集、资金短缺、大牌球星缺席等原因，羽毛球世界杯于1997年停办。后来湖南省益阳市申办羽毛球世界杯，欲恢复此项赛事，但国际羽联只批准举办“世界杯邀请赛”。中文名为“世界杯”的此项赛事实际上是一项有奖金无积分的商业赛事，和昔日的世界杯不可同日而语。益阳世界杯于2005年、2006年举办了两届，林丹两次均夺冠。中国国家体育总局对赛事冠军的“世界冠军”名分予以认可。林丹有时候也认为2006年世锦赛男单冠军才是他的第一个单项世界冠军。

•……… 2006年9月24日，在马德里世锦赛男单决赛上，林丹后来居上，以2比1战胜鲍春来夺得冠军。这也是林丹的首个单项世界冠军。©中体在线_魏征摄

够打好自己的比赛。

谢杏芳亲眼见证了我首获世锦赛冠军的激情一刻。但和上次一样，我们来不及分享对方的喜悦，阿芳就不得不站到了赛场上。那场决赛她也打得非常精彩。可惜的是，我没能在球场里看她的这场球。等我忙完新闻发布会、兴奋剂检查之后，正好赶上她的颁奖仪式。还好还好！

我们曾很多次在公开赛上携手夺冠，这次在世锦赛上双双登顶，终于一偿夙愿。然而，这第一次后来也成了唯一一次。几年后，阿芳曾感叹，如果奥运会是在2006年举行就好了。我明白她的意思，2006年世锦赛是我们职业生涯中难忘的一幕。

老天是个绝妙的编剧。他没有把林丹称王的时间安排在2004年的雅典，也没有安排在2005年的阿纳海姆，而是2006年的马德里。他让我和阿芳先后在同一片场地上登顶，为我们营造了一个不可思议的夜晚。

这个冠军开启了我在2006年、2007年、2009年三届世锦赛上的三连冠[1]。虽然我在2011年与李宗伟联手奉献了一场经典对决，已经第四次站上了男子单打的最高领奖台，但马德里的这个冠军对我而言意义非凡。这是我走向成熟必须经历的一步，也是我向真正的领军人物迈进的一步。

1　世界羽毛球锦标赛创办于 1977 年，是国际羽联创办的顶级羽毛球单项锦标赛事，至今已举办 19 届，每年一届，若逢奥运年则不举办。

05

格拉斯哥·团体赛首败后，我提出换教练

从2004年第一次在团体赛中出任中国队第一单打以来，我在团体赛中保持了长达三年的全胜。这一纪录在2007年的苏迪曼杯混合团体赛上被终结。

小组赛最后一轮，中国队迎战马来西亚。当时，我们已经锁定了小组第一出线。而对手只有打败我们，才有可能晋级苏杯四强。论整体实力，谁都知道马来西亚的团体还不足以与中国队抗衡，大家关注的无非就是李宗伟和我的对决。

开赛以来，中国队总是以5比0横扫对手，媒体早就觉得无趣了。于是，在中马对抗前，有记者问李永波教练，面对背水一战的马来西亚，是否会很难对付。李导当场也不客气，反驳说："我对自己的队伍没有什么不放心的，这些队员都知道什么时候要全力以赴。他们背水一战就能赢吗？比赛是要讲实力的。'背水'？就是背着炸弹都没用！"

话都讲到这份上了，好像中国队不仅要取胜，而且要狂胜才收得了场。但谁也没想到，第二天的比赛会是那样。

由于对方有球员要兼项，原本第二场进行的男单被安排在了最后的第五场。男单被放到最后一场，很可能场上胜负已定，比赛失去了原本的价值。中国队也曾想过要不要换陈金，让我休息。但我觉得为了给后面的半决赛、决赛作准备，我很愿意会一会李宗伟。

等我们出场的时候，前四场中国队已经以4比0领先。既然无关两队胜负大局，这场比赛就变成了我和李宗伟之间的单纯较量。

第一局，我们俩打得都比较谨慎，我在14比17落后的时候追到17平，但李宗伟连续得分，以21比17拿下了第一局。第二局也是打得不温不火，比分一直没有拉开。但是来到13比11之后，李宗伟依靠几个运气球连得

•……… 2007年6月14日，在苏格兰格拉斯哥举行的苏迪曼杯小组赛最后一轮比赛中，林丹负于马来西亚名将李宗伟，赛后向对手表示祝贺。©东方IC

5分。谁都没想过我会输，我也曾努力地追到16比19，但最终还是以同样的17比21落败。

至此，我三年来保持的团体赛不败金身，被李宗伟打破了。那天比赛一结束，我马上回到房间看了好几遍录像。我发现，和前一年我们在中国澳门、中国台北、马来西亚的决赛相比，李宗伟在场上的速度和精神状态确实表现得不一样。虽然每个运动员都会遇到状态的高低潮，但当时李宗伟的势头非常强劲，这引起了我的重视。

当你状态一般，而对手又有超乎平常发挥的时候，输球也就正常了。但这并不是说，输球就是理所当然的。

当时的瓶颈并不能在一夜之间得到突破。半决赛中，我与韩国的孙升模又打满三局，以2比1取胜。到决赛中，我原本作好了要碰陶菲克的准备，但还没等到男单这一场，中国队就结束了战斗。

4场比赛3胜1负，我一共丢掉了三局。在格拉斯哥，我亲手终结了自己从2004年汤杯以来团体赛不败的纪录。我一直觉得，如果不能为中国队拿下男单那一分，即使最后队里拿了冠军，我也觉得我这个冠军是混来的。

从格拉斯哥刚回到北京的那两天，媒体引用李永波教练的说法：“一个选手想得到教练的信任，队友的信任，同伴、对手和观众的尊重，除了要表现出自己的技术特长，还要有一个良好的精神状态。林丹应该向蔡赟、付海峰学习，学习他们的兢兢业业。”如此等等。

但我始终觉得，在我的职业生涯里，我对这项运动、对我第一单打的位置，一定是负责任的。我从来不会因为态度出了问题而输掉比赛，否则我不会坚持到今天。对自己这一分的全力争取、对整个团队的责任心，这是起码的。质疑我的比赛态度，这让我感到很意外，也很不解。

苏杯之前，我在新加坡站负于泰国的波萨那无缘四强，随后又放弃了印尼站。教练觉得我在走弯路。不知从什么时候起，已经很难有什么事能让我轻易地开心起来。最开心的事就是拿冠军，但那也只是一刹那的兴奋。

那时候我觉得很孤独。平时在一起的都是队友，但跟他们又有竞争的关系，既是朋友又是死敌。有些想法既不能跟教练讲，不能和队友讲，也不能和家人说，只能自己消化。很多感受是别人无法体会的。

打完苏迪曼杯回国后，教练对我的不满、媒体对我的质疑持续了一段时间。一个很偶然的机会，我提出我要更换教练。我记得有一天，当时的国家体育总局副局长肖天找到我。他问了我关于队伍的很多事情，也问我自己有没有什么想法。那是一次开诚布公，而且诚意十足的谈话。我感觉到肖局观察得非常仔细。于是，在非常偶然的情况下，我提出了自己的设想。我说我和之前的教练已经没有办法再合作下去，我们的很多看法都无法达成共识。而且，最重要的是，我们之间已经没有了所谓的信任。

当时已经进入北京奥运会的积分赛阶段，气氛开始变得紧张，而我的成绩也不尽如人意。2008年的北京奥运会是每个运动员梦寐以求的人生舞台，我特别希望自己能表现好。我愿意在训练中吃很多很多的苦，这没有问题。但是，我很害怕自己没有能力去表现。那也就意味着我没有那个实力，没有很好的水平。所以我希望能有所改变，在很有限的时间里找到一位更适合我的教练。

我非常诚恳地跟肖局说：“我发现之前的训练、之前的配合已经停留在原地，难以突破。”放眼2008年的北京奥运会，我们的任务特别重。如果有可能的话，我希望有所改变。

很快，在2007年年底的中国公开赛前，传奇名帅汤仙虎重新出山，来到了我的身边。

06

奥运在即，谤满天下

2008年年初的韩国公开赛是我们比较看重的一站比赛。我打到决赛后，发生了一件不太愉快的事情。

我在男单决赛中的对手李炫一当时的状态非常好，刚拿了一站比赛的冠军，重塑了韩国“一哥”的地位。比赛打得异常激烈，决胜局比分进行到21平的关键时刻，李炫一的一记回球被边裁判在界内。而我觉得当然是界外球，就找裁判申诉。主裁判表示因为视线被挡，判李炫一得分。那我肯定不答应，我说这球明明是界外，我希望他改判。不仅是因为比分已经来到了关键的赛点，而且在此之前这场比赛至少已经出现了四次错判。见我申诉，韩国队教练席上的中国籍教练李矛也急了。之前四次误判，主裁都帮我改过来了，现在见东道主韩国队施压，主裁便抱定了主意，不敢轻易改判。因为那个球很可能决定这场球的胜负。

当时，李矛教练把矛头对准了我，说：“前面都判给你了，凭什么还要判给你？”我一听这话，就有点着急。倒不是因为这场球我最终赢了或输了会怎么样，而是我觉得，我们都是中国人，你这样和我一个队员计较，我有点接受不了。我们就这样吵起来了。这时候双方教练都上来拉，李矛被韩国队的助教拉住了，我们的钟波教练也来劝我。当时李矛教练在

● ……… 训练后的林丹在做肌肉牵拉，持续半小时左右，以缓解训练产生的肌肉疲劳。

冲过来的时候指着我，钟导为了保护我，就上去把他推开了，结果他又指着钟波骂，一副要动手的样子。我非常气愤，也不够冷静，结果就把球拍给丢了出去。最后这起事件被媒体称作是“韩国口角风波”。

这件事如果是韩国队其他教练说我什么，我理都不会理。可李矛教练和我们毕竟都是中国人，如果韩国队对我有什么意见，我也不觉得第一个站出来的应该是他。他作为一个中国人，表现得比韩国人还激动，这真的激怒了我。虽然后来有媒体说我“没有修养”“没有道德”，但是韩国人这样操控比赛真的很不光彩。媒体不了解情况，我也不想多作辩解，清者自清。

作为冲突的第三方见证人，捷克籍主裁判莫米亚事后也承认场上当时确实出现了错误判罚。不过因为视线被挡，又受到了边裁和电视裁判的误导，他才作出了错误的判罚。不光是我这一场比赛，之前李宗伟在第二轮遭遇李炫一时，在双方战至1比1平后，突然以发烧为由退出了比赛，据传也是对裁判不满的一种抗议。

大家稍微留心一下就会发现，不光是2008年这一次，之前的釜山亚运会，就曾发生过陶菲克因抗议裁判而罢赛的事件。中国女双高崚／黄穗在比赛中也受到了不公正的待遇，当时把李永波急得都上去拍裁判的后脑勺了。但说到底，还是国际羽联没能起到监管作用。让大家愤怒的这种事情，每一年都在上演。

但是事情过去以后，我倒也能理解了。当时，我觉得大家都是中国人，李矛又是教练，怎么能帮着韩国人来对付我一个队员呢？可冷静下来后，我也明白了，李矛教练是一位职业教练，他拿着韩国羽协发的薪水，就会做他应该做的事。他当时是为韩国队服务，他就应该心向韩国，这没有错。

李矛是一位很优秀的教练员，这毫无疑问，至少我觉得他的效率很高。之前他带过我的前辈孙俊、董炯，他们是当时中国男单最顶尖的两位选手。他还带过曾经比较低迷的韩国男单孙升模、李炫一，孙升模还获得了雅典奥运会的亚军。再到后来，他又去了马来西亚执教李宗伟。你会发现，他在有限的时间里，帮助这些运动员提高了一截，让当地的男单水平有所起色。

因为他没有带过我，所以一般见面我都叫他"矛叔"。我们都只是普通人，只是挣我们的薪水，养活自己的家人。我作为队员，拿出我最职业的状态，那么李矛作为教练，他当时也没有错。只是，我们俩的情绪都有点失控了。

体育的职业化、国际化本是一种趋势，否则也不会有郎平执教美国女排，不会有梅西加盟巴萨，诺维茨基也不要去NBA打球了。无论是教练还是运动员，代表的都是这项运动的职业精神——既然来了，就要为这个俱乐部、为这支国家队效力。

韩国的风波才平息不久，我们去福建晋江备战当年的汤尤杯，结果又爆发了所谓的"殴师门"。我一下又被媒体当作是"坏小子"，成了羽毛球队的"恶人"。

事情的过程很蹊跷。当时我们在训练馆打了一次队内比赛。比赛结束后的第三天，突然有媒体报道说："林丹当众拳打教练吉新鹏。"因为忙于训练，我压根就不知道这个新闻。直到在晋江接到无数电话，都还感觉莫名其妙。

其实这是很小的一件事。那天打汤杯的模拟赛，全队被分成两组。比如说我、谌龙、杜鹏宇三个人加两对男双，我们是A组。B组的男单有陈金、鲍春来等。比赛打到第五场，是双方的第三单打。这时谌龙赢了，那自然就是我们A组赢喽。结果钟波教练搞错了，他把谌龙算作B组的人，宣布B组获胜。当时我们这些已经打完的队员正在场边休息，突然教练宣布我们输了，那肯定就急了，就上去跟他们复盘。当时每个人都很投入地在打这场比赛，突然间说我们输了，肯定不愿意，肯定急嘛。何况如果谌龙是B组的队员，岂不是变成我们在给对手加油了？说实话，我也不是性格特别温和的那种人，当时就远远地喊了一句："怎么可能呢？"

事情本来根本怪不到吉新鹏。他是助理教练，也不是排兵布阵的那一个，他当时只是负责宣布结果。我这么一喊，他可能也有点茫然。他也不客气，就跟我吵。两个人嗓门都不小，在场的媒体都转过头来看。这时候，钟波已经反应过来是他弄错了，也不作声，但是当时已经收不住了。因为很多媒体都在，谁都不可能有很过分的言语，只是双方的态度都不太好。说来也是不巧，如果当时只有我们队员自己在，可能吵吵就过去了，也没什么事。可当着媒体的面，我跟吉新鹏这么一嚷嚷，他作为奥运冠军，又是教练，肯定觉得面子上挂不住。

谁都以为事情就这么过去了，第二天也确实没怎样。谁知到了第三天，突然有媒体，而且是当天不在场的深圳一家媒体突然爆出这样的消息，那不是很奇怪吗？当时的局面有点失控。因为那时候这件事已经被炒作成不是林丹自己的事了，而演变成整个羽毛球队的一起恶性事件，甚至有人开始攻击李导，指责队伍管理松散。李导这才发现有点不对劲了，就找到吉新鹏，说："这时候你必须出面解释一些事情，因为已经伤害到队伍了。"但是吉新鹏说："我要征求一下我家人的意见。"

然后谁也想不到，他居然就这么消失了。打电话关机，人也不在队里。队伍正集训的时候，他就突然离开了两三天，谁也找不到他。

这件事情越闹越大，全队都特别不高兴。因为这本来也没多大个事，完全可以内部解决的。李导就跟我讲："这段时间你可能会不太好过，因为很多矛头都会指向你。但你还是要好好备战，别因为这些事情太过分心。”从他的言语中我发现，那会儿李导已经有点伤心了，吉新鹏毕竟是他培养过的运动员，怎么能置队伍于不顾，平白无故地失踪两三天呢？

我自己就更加想不通了。2007年年底我们在珠海集训的时候，吉新鹏就住我隔壁，每天都来我房间打牌。那时候他跟钟导一起住，晚上吃完饭也没什么事，就到我房间说："来，炸一锅。"那会儿我们打连珠炮，几乎天天都在一起。到了2008年集训的时候，不知道为什么突然间就闹了这么一出。

几天后，吉新鹏更新了他的博客。在这篇名为《我的回答》的博文中，他写道："4月8日，林丹与我发生了一些不愉快，昨天下午林丹已对我作出道歉！为了国家利益、为了队伍安定团结，我不希望影响备战奥运，这件事情已经过去了。谢谢球迷朋友对我的关心，让我们安心备战奥运！感谢大家！"

吉新鹏是我的前辈，悉尼奥运会男单冠军，大家都叫他"老吉"。老吉在羽毛球队算得上是一段传奇。他参加悉尼奥运会是最后5分钟才定下来的。本来教练选的是陈宏，不是他。而他的职业生涯就获得过两个冠军，一个日本公开赛冠军，一个奥运冠军。这就是他的命，你不服不行。

后来事情调查清楚后，听说也许是当晚回去后，吉新鹏给家里人打电话，可能说的是："今天特别不舒服，跟林丹吵起来了。"甚至可能说到了"小队员还想上来动手"。结果消息被捅给了不知情的媒体，一个小火苗最后被扩大成一场灾难。头儿（李永波）后来也问吉新鹏："你了解你的家人吗？"

出了这样的事情，最受伤的肯定还是队伍。我们都是中国队培养起来的，可因为这样一件事，在队伍需要他的时候，他选择了消失，最终伤害了他和队伍之间的感情。我作为一个年轻队员，跟老大哥说话有点激动自然有我的不对，但这都是家事，可以关起门来说的。最可惜的是，老吉人不坏，可是最终却不得不离开国家队。因为全队都知道了这件事，队员很难再跟他心贴心地交流。教练和队员之间失去了信任，就没有办法再合作。这对队伍、对他而言都是损失。

等这件事再过去五年甚至更长时间后，老吉可能也不会再去计较我们之间当时的一些不愉快。只是，他肯定没有想到，因为这么件小事，他的人生会发生这样的改变。

北京奥运会后，我也一再跟媒体说，我一直想用我所能取得的成就告诉大家，我不光球打得好，也是个非常健康的运动员。我不是别人以为的那样，拿了冠军就觉得了不起了，就会冲动，甚至打教练，根本不是那样。

经过这些争吵也好、误解也罢，我也在反思：时代不同了，教练与队员之间沟通的方式也发生了巨变。以前小的时候，我们被教练踢上两脚，或者教练上来扇扇你，那都很常见。家长还恨不得拍手称快："好，教练管得严。"当然，我也承认，管教严厉对男孩子是有好处的。但是面对现在的年轻人，千万不能用这样的姿态跟他们交流。他们根本就不屑。他直接顶你一句"世界冠军有什么了不起的"，你就没话说了。只有先跟他们交上朋友，用更巧妙的手段让他们信任你，他们自然而然愿意与你交心。对待不同性格的小孩，你还不能一锅粥煮了大家一起吃，那样效果肯定不好。

在我看来，一个教练手下最多带三个运动员就顶到天了，不能再多。一碗水，你让大家都喝一点，那只能是解渴。但科学的训练，队员需要的不仅仅是解渴，他要的是教练帮他补充需要的"微量元素"。那就完全不一样了。因为你的创意和精力都是有限的。而我们目前的情况多数时候还是一个主教练带10名队员，那样的效果也只能如此。只有做到一对一、精对精，训练才会更有效果，更有针对性。所以，我们还有很大的上升空间。

07

好运，北京

2004年8月15日—2008年8月17日，这是充满磨难的四年，却又最终换来了完美的一天。

和雅典奥运会之前巧合的是，2008年的汤尤杯也是在印尼的雅加达举行的。同样的赛场，同样的酒店，同样的结果。在汤杯三连冠后，东南亚三站比赛中，我选择只参加了泰国公开赛。在拿到冠军后，我开始进入一级备战的封闭状态。

在迫近2008年最重要的那一战前，我想了很多。在中国，一名运动员好像只有参加奥运会并拿到冠军，才有可能被认可。而其余人留下的全是模糊的面孔。你无法改变这一切，你只能承受。

然而，运动员只有两种：一种是他的命非常好，受到了上帝的眷顾，虽然他没有什么辉煌的故事，却拿下了最重要的冠军；还有一种是，他虽然创造了自己的时代，但是在提到某次比赛时，留给人们的印象却是遗憾，就像足球界的巴乔。真正像乔丹或者舒马赫那样完美的人，只能说是命运使然。

我没有给自己算过命，但我知道，我是个争议性的人物，这说明我还得努力，让自己更强，赢到让别人无话可说。我只能成为这样的球员，只能是脚踏实地的那种类型。在我的职业生涯里，就更没有什么幸运可言。如果我拿钱去买股票啊，彩票这些，那一定是打了水漂，因为我不可能有中大奖的命。

人的一生很有限，运动生涯更是非常短暂。可以说，从开始拿起球拍的那天起，就进入了倒计时。从我2000年进国家队，2001年开始在国际比赛亮相，到北京奥运会的七年时间里，每一天我都在尽力，都在不断地证明自己。

我对自己说：不管北京奥运会的结果如何，事业和生活的道路还很漫长，打不好顶多就是等着被人骂呗。但是我有一个前提——我不允许自己什么都没打出来就输掉，这是我的底线。而就算拿到了冠军，那也只是这一次的辉煌，只是生命长河中的一点。

因为我把各种好的坏的情况都想到了，在北京奥运会前，我已经可以感觉到那面墙的背后是什么了，心里因此就踏实了一些。

然而，要说不紧张，那是不可能的。那段日子，因为全情投入地做一件事情，所以感觉时间过得很快。我每一天都练得非常投入，汤导也在，身边的教练都在全力以赴地帮助我，同心协力地希望我在不到两个月的时间里变得更强、更稳定，并且也在帮我找更多的方法释放一些压力。

以前每到星期天，我都会睡到中午，睡到自然醒，然后去吃饭、逛街或者看看电影什么的。但是到了备战的那两个月，我基本上每个星期天都会像往常一样上午9点就去跑步。并不一定有多么大的强度，我只是希望自己每一天都能保证很好的状态。这样到了下周一，我就能很快、很直接地进入到训练状态。我只希望自己每天都能有一点收获。

然而，训练总局的那堵围墙并不能真的让你与世隔绝。随着全世界的媒体涌入北京，北京的体育馆路——中国体育军团的重镇，成为世人关注的焦点。倒计时从100天、50天到30天，你甚至都能感觉到擂响的战鼓声越来越近。所有人都跟我说：“林丹加油，战胜李宗伟，战胜朴成焕……”认识的、不认识的、以前不怎么打招呼的，见到我都说“加油”。我知道他们是好意，可我本来就有些心烦意乱，他们这么一说，好比火上浇油。

压力过大的时候，我也会焦虑，在别人看来甚至会有些“不可理喻”。小时候在八一队有过因为摔拍子被停训20天的经历，但在备战北京奥运会的日子里，被我摔掉的球拍大概可以编成一个排。

有时跟陈金或者小鲍打队内比赛，大夫帮我打固定超过15分钟，我也会着急，我会抱怨“为什么这么慢”；吃饭要吃多少，我也烦恼，吃多了不行，吃少了没力气。那段时间的我，经常无缘无故地发脾气。好在我提前适应了这样的压力。时间在一天天地磨掉我身上的刺，这总比我到了奥运赛场上再焦虑要来得好。

这是我不得不承受的压力，很多人都在看我2008年奥运会究竟会打成什么样。有的球迷当然是祝愿我能在家门口实现自己的冠军梦想，但也有很多人在等着看我怎么一败涂地，我能感觉到我的周围有这样一种气场——有人不想我赢。

但越是在险恶的环境中，越是需要信仰。我知道一个人的能力一定是有限的，我希望能集所有队友、同伴、教练和工作人员的力量，来帮助我闯过这一关。

就在奥运会前一个月，有一天我突发奇想，想要在球包上征集全队的签名，请大家给我写一些鼓励的话。写在一个我天天能看到、无时无刻不在陪伴着我的东西上，那种力量的传递会不一样。历来都是别人找我签名，这次终于换我找别人签名。一开始我是让小队员帮我去办这件事。但后来，我觉得自己去也没什么了不起。

带着全队的祝福进入奥运村以后，那种压力更加让我逃不开、躲不掉。无论我走到哪个角落，都会听到"加油，林丹，我们很喜欢你"这样的声音。

奥运村地处北京西北角，而奥运会羽毛球比赛场馆所在的北京工业大学地处东南方，这样单程的时间就需要40分钟。再加上奥运村里并没有合适的训练场地，我们每天还是要回到训练总局保证日常的训练。而且，陪练队员不能进入奥运村。为免舟车劳顿，最后队里决定，我和汤导还有担任我陪练的师弟文凯依然留守天坛公寓，保持原来的备战节奏。

然而到最后，真的让我抛下一切并且真正领悟到奥林匹克精神真谛的不是别人，而是谢杏芳。

随着盖德、陶菲克这些主要对手，甚至我的好朋友鲍春来都提前出局，奥运会的残酷正愈演愈烈。2008年8月16日下午，北京奥运会女单决赛率先打响。我没有去现场，而是选择了在房间看电视直播。这场比赛，我作为阿芳的男朋友，一定是有偏向性的。我希望她赢，这毫无疑问。整个下午，我都没有办法踏踏实实地坐下来。阿芳每打出一个好球，我

•……… 北京奥运会林丹完胜李宗伟夺金后，第一时间冲向教练汤仙虎和李永波拥抱庆祝。©中体在线_倪敏哲摄

就喊一下，在房间里跑一圈。比赛打满了三盘，那是历届奥运会女单决赛中最精彩的一场。只是最终的冠军只有一个，祝贺张宁。但是，我也以阿芳为荣。我知道她很想赢，虽然结果可惜，但已经没有遗憾了。因为她们两个都打出了非常高的水平，即使是第二，也应该无所谓了。

看到站在亚军领奖台上的阿芳，我好像知道自己第二天该怎么做了。后来我在电话里跟她说："如果明天我能打得像你这么好，拿个第二我也很高兴，至少我们家就有两块银牌了。"

这一天终于到来了。8月17日早上起来后，我做了简单的热身，中午吃得不算多，怕等会儿跑不动，然后准备睡一会儿。但那天中午，连文凯都睡不着。奥运会前的那段时间，他是和我走得最近的一个人，比教练和阿芳还要近。所有二线队员都放假回家了，就他一个人留下来陪我训练。他走近我以后，也感受到了奥运会那种极度紧张的气氛。决战的时刻越来越近，自然而然地就紧张了起来。

我记得当天下午临出发前，我把房间的音响声音开到很大，跟着音响一起唱。

听的什么已经记不真切了，只记得有周杰伦live版的《听妈妈的话》，激昂高远的版本。演唱会上那山呼海啸般的尖叫声提前让我进入了状况。

•……… 2008年8月17日晚，北京奥运会羽毛球男子单打决赛在北京工业大学体育馆举行。林丹以2比0完胜老对手李宗伟，摘得金牌。©中体在线_倪敏哲摄

是的，接下来即将登台的将是林丹，属于我的showtime来了！

这是我的第一次奥运会决赛，也是李宗伟的第一次。在奥运会羽毛球比赛历史上，还没有一二号种子会师男单决赛的先例。我们两人都很想赢，都想继续创造历史。

热身时，我能感觉到他状态非常不错。因为我看到他的一些练习球命中率非常高，落点非常准。这也激发了我在比赛中必须更加全力以赴。

经过前一场男双决赛的铺垫，整个体育馆里的气氛已经被推向了顶点。这场压轴的男单决赛在万众期待中上演。说实话，我还是第一次在大赛里感受到主场气氛。那一晚对我来讲，就是梦幻般的体验。

整个看台被红色所淹没，从头到尾你只听到“林丹加油，林丹加油”。我的每一次得分都很过瘾，因为全场观众都为之兴奋，你能感觉到那掌声、呼唤声中的宣泄。第二局打到20比8，我拿到冠军点，体育馆里的那种狂热好像随时都要把屋顶掀翻。优势虽然很大，但我还是提醒自己要冷静下来，拿下这最后一分。深呼吸，屏息凝神，我能听到球拍击球时发出的“刷刷”声，一声比一声坚定，一声比一声致命。

李宗伟回球下网，最后一分到手，我跳起来把球拍扔了出去，又在地板上滚了一圈。那一下的反应就是——终于结束了。这对我是一种解脱，对很多人都是一种解放。在与汤仙虎教练、李永波教练拥抱的那数十秒，我好像哭了。我很久没有流眼泪了，那一刻眼泪流出来，我自己都觉得很不自然、不真实。

颁奖仪式、兴奋剂检查结束后，已经是第二天凌晨。我看了看手机，有223条短信！我都不知道该怎么回，因为有太多太多的人在关注我。我庆幸之前没有看到这一幕，要不然会更紧张。

而等着看我笑话的人，我没有给他们机会。从2007年年底开始和汤导配合的这半年多，一直到这场球结束，他付出了很多。还有很多年轻的运动员，他们甘心作陪练，就为了这个队伍最终能完成奥运会的任务。所以，每个人都在自己的位置上，作出了各自最大的牺牲。

因为不容有失，我为这场比赛作了万全的准备。雅典奥运会前在韶

●……… 2008年北京奥运会赢得男单金牌后的敬礼，是林丹最著名的一次敬礼。©东方IC

山发生的那件奇事，一直是我的一个"心结"。当2008年再有机会去湖南时，我特意再次去祭拜了毛家祖坟。上山的路上，当时我和陈金还在慢慢走，李导故意逗我们："谁最快到，谁就最有诚意。"那天我和陈金还穿着便装，两个人就拼命往山上跑。陈金在北京奥运会上也获得了一枚铜牌。而在那场决赛前，我也效仿当年的孔令辉，在胸口上别了一枚毛主席像章，希望它能带给我力量，也了了心中的一桩夙愿。后来每逢大赛前，特别是奥运会前去毛家祖坟祭拜，就成了我们队里的一种传统。

和李宗伟的那场决赛，我后来看过很多次录像。其实也没有出现很多意料之外的球，我只是看到自己非常投入，两只眼睛死死地盯住李宗伟的每一次出手。我很少看到自己如此专注。到比赛的后半段，我的脚步越来越快，越来越快。

拿到那块梦寐以求的金牌，随之而来的是各种采访、活动，然后就是"奥运冠军港澳行"，这已经成了一个惯例，我也是第一次参加。临出发前，以前的一位奥运冠军跟我讲："你不去弄一个林丹的签名印章吗？"我说："为什么要弄这个？"他说："你有这个会方便点，要不然会累死你。"

当时我觉得，我就是个运动员，别人找我签名，是真的喜欢我，我就真诚点给他们签吧。结果出发前两天，我就一直在签名。从北京去香港的飞机上，三个多小时我也没停过，一直在签。到了香港、澳门还是不停地签名。我觉得好可怕，看到人多的地方就想躲。

说实话，我并不觉得这种形式的活动，对社会能产生多么深远的影响。北京奥运会中国席卷51枚金牌，带给国人多少自豪。可这些又能持续多久？真正被人记住的冠军又有多少？与其这样，为什么不去了解人们真正需要的，做好每个项目的推广，让更多的人真正喜欢上体育，投入到运动的行列中来呢？让每一个项目都更具生命力，由市场来决定它们的命运。

在香港，我本想去海洋公园、迪士尼，但走到哪里好像都会被围着"参观"。这种感觉说不上来，有点黑色幽默，有点好笑吧。

北京奥运会也许是我人生的一次重要转折。有时看着那枚金牌，我

•……… 2008年12月26日清晨，在京军训的中国羽毛球队全体队员前往天安门广场观摩升国旗仪式，并参观了国旗班荣誉室和护卫队队员的宿舍。图为林丹向国旗行庄严的军礼。©中体在线_安灵均摄

既感觉开心，又觉得很奇怪。因为在那之前我拿了很多冠军，打过无数好球，但是人们对我印象最深的就只有奥运会的决赛，甚至连我前几轮是怎么一路打过来的都不知道，只知道我干净凌厉地赢了我的对手李宗伟。难道这就是我的职业生涯吗？难道我的职业生涯就只是那一场球吗？

虽然那场球对我很重要，对很多人也很重要，但我从5岁开始打球到现在，如果没有这块奥运金牌，是不是这么多年就都白练了，也没有人会记得林丹？一旦失败，所有的陪练、工作人员的努力，都会变成白费，他们的付出一瞬间不翼而飞，我会辜负他们。那么多人的命运掌握在我手里，只有奥运金牌才能拯救所有人。

我不知道我在从事的还是不是我从小就喜欢的那项运动。我打羽毛球只是因为喜欢，本能地、自然地喜欢。长大后，又需要我有责任心，代表中国参赛，要为祖国争得荣誉。虽然我走到了世界之巅，但是我的舞台反而越来越小，好像只有奥运金牌、只有那不到一平方米的冠军领奖台，才是真正实现我人生价值的舞台。这真的太可悲，也太可怕了。

当一个运动员从小离开父母、日复一日地苦练时，他就赌上了自己的青春和前途，最终变成四年就为等一个机会。万一中间受伤，或者生病，或者一些不确定的因素造成他没能取得好的成绩，甚至没能参加奥运会，

那怎么办？

2008年的我25岁，我不得不为了奥运金牌置之死地而后生。四年之后，只要我站上赛场，我一样会为了我的祖国、我身后无数默默付出的人拼尽全力。但是，请不要粗暴地把国家荣誉和运动员的价值只绑在最后的那块金牌上。

我很高兴的是，奥运会后，2008年年底的中国公开赛上我又拿到了冠军，依然还能战胜李宗伟。我想通过这个告诉所有人，我不是拿完奥运冠军就没有了自己的职业目标。2008年年底的那个冠军让我更加坚定地明白，自己需要的是什么——我看重的是整个职业生涯，虽然在中国并没有所谓真正的职业运动员。

现在，我为自己感到骄傲。2012年伦敦奥运会将是我第三次代表中国男单参加奥运会。我在国家队用了12年的时间证明自己依然是男子单打中教练组首选的运动员之一。我要做的，是创造后人难以超越的纪录，是创造一个林丹的时代，而不是多年后当人们提起林丹时，只记得他拿过多少冠军头衔。

08

我把全满贯留给广州

2006年在多哈，我与男单冠军失之交臂。当2010年亚运会来到广州的时候，“夺取全满贯”的呼声令我热血沸腾。

广州天河体育馆，是我在全中国最熟悉又最感亲切的战场。

2003年，我在这里首次夺得中国公开赛冠军。20岁时的林丹还一无所有，没有世界冠军头衔，也没有谢杏芳，整个世界等着我去征服。

七年之后，我回到广州，留下过很多回忆的天河体育馆已今非昔比。

●……… 2010年11月21日，广州天河体育馆，亚运会羽毛球男单巅峰对决中。©东方IC

我希望在这里昭告天下：今天的林丹，是这世界上唯一的羽毛球全满贯，在这里，我要完成集奥运会、世锦赛、世界杯、苏杯、汤杯、全英赛、亚锦赛、亚运会冠军于一身的八大全满贯。我是这个星球上拥有最多羽毛球冠军的人。

亚运会羽毛球比赛11月中旬开打，中国队10月底就来到广州备战。当时，谢杏芳已经在亚运会组委会志愿者部工作了一段时间，志愿者们叫她“谢处”或是“芳姐”，她也在适应着她的新角色。亚运会开幕在即，她非常辛苦。在进驻亚运村前，我和阿芳见面的机会不多，仅有一次机会一起吃了顿海鲜砂锅粥。此后，我们就在各自的“战场”上奋斗着。天河体育馆的志愿者留言墙上，我给辛勤工作的各位写下一句“大家加油”。这大家，也包括了我自己和阿芳。

四年前，陶菲克让我梦断多哈。四年之后，我则要感谢李宗伟。在天河，他与我联手奉献了一场经典战役。时隔两年，从北京到广州，再次主场决战李宗伟，是件挺刺激的事情。

虽然我早就是大满贯了，但人们认为只有把亚运会男单冠军也收入囊中，那才叫完美。这对我是个挑战。我需要实现自己更大的价值，让大家看到，林丹可以。终于，我在广州达成所愿，把完美留给了现场爆

• ········ 2010年11月21日，广州亚运会羽毛球男单决赛，林丹2比1战胜李宗伟夺冠，又见军礼。©东方IC

•……… 摘得金牌后，林丹兴奋得向观众席抛鞋庆祝。©东方IC

满的观众，也留给了见证过我职业生涯无数辉煌的天河体育馆。

握拳，呐喊，敬礼，将球鞋抛上看台。这一切，都像极了2008年8月17日的北京。但这里是广州，对于我有着不同的意义，所以幸运的广州观众还得到了我的决赛战衣。有人感到好奇：这么有纪念价值的东西为何全部奉送？那是因为我只想把我的开心与所有人分享。后来我统计了一下，从男单1/4决赛开始，我共计送出了两条毛巾、一双球鞋、一件球衣。只有金牌，我留给了自己。

那天我其实还蛮激动的。因为2008年虽然是代表中国在家门口比赛，但内心里我还是作好了“赢了当然最好，输了就被人骂”的准备。但亚运会不一样，我觉得这是个机会，虽然对手还是一样的对手。我希望自己全力以赴，不要辜负所有人的期待。我想向世界证明，我是世界羽坛最有价值的运动员。什么叫最有价值？就是不可能再复制。所以，当我最终被评选为广州亚运会的MVP（最有价值运动员）时，我对自己说：“林丹你做到了！”

一个真正有影响力、有价值的运动员，不在于你的广告代言身价多少，或者你拿了多么重要的冠军，而在于当你进到赛场，来到属于你的舞台的时候，真的有很多球迷喜欢你，甚至你的对手、很多媒体都很尊重你、认可你。

我要感谢李宗伟。我们两个在彼此生命中扮演了很重要的角色。我这么多的冠军，如果没有他的出现，可能会变得含金量不足。在某种程度上，我们成全了彼此。也因为我们一次次的巅峰对决，推动了羽毛球这项运动，让更多的人喜欢看林丹和李宗伟比赛、李宗伟和陶菲克比赛、陶菲克和林丹比赛。

我记得在亚运会夺冠后的新闻发布会上，一位来自美国的记者用中文向我提问："林丹兄弟啊，你在羽毛球界这么成功，那你打算像姚明、孙雯一样也去美国发展吗？"我当时就开玩笑说："如果你们愿意出美元的话。"这位美国记者当即就表态："那我做你的经纪人！"

玩笑归玩笑，但让我高兴的是，更多的人开始关注林丹。不只是国内，不只是亚洲，全世界都开始对这个不一样的中国小伙子产生好奇，在看到我的同时，也看到了我背后的这项运动。而对我和李宗伟来说，伦敦奥运会将是最有可能实现创造自己王朝的一战。金牌是一定会努力去争取的，但对我和他来说，在羽坛拼杀了这么多年后，结果已经不再那么重要。

09

伦敦·奥运会不是终点

进入伦敦奥运年，所有人都把目光聚焦在林丹能否成功卫冕上。对我来说，拿冠军虽然重要，但并不是唯一的。有时候我觉得，纠缠于什么比赛拿冠军，纠缠于拿多少个冠军，真的都太傻了。而这些想法，在我参加完2012年劳伦斯世界体育奖颁奖盛典后，就越发清晰起来。

受劳伦斯冠军委员会邀请，作为本年度最佳男运动员的候选人之一，我有幸前往伦敦参加这次盛典。2月5日凌晨，我们经过近14个小时的长

●……… 2012年2月6日，林丹在伦敦盛装出席劳伦斯世界体育奖颁奖典礼。©东方IC

途飞行抵达伦敦希斯罗机场，一场大雪不期而至。听说那是伦敦2012年的第一场雪，不少人跟我说，那是个好兆头。六个月后的8月5日，伦敦奥运会羽毛球男单决赛，就将在温布利体育馆上演"天王战"。世界羽坛至今无人能够在奥运会上蝉联男单冠军，所以，这一次有与我四年前不一样的使命。

但是当我和众多国际体育巨星一起身处威斯敏斯特中央大厅，或是在唐宁街十号接受英国首相卡梅伦先生接见时，我知道，即便是世界上唯一的羽毛球"全满贯"，在国际舞台上依然微不足道。

当我走上颁奖盛典的红毯，老远就听到一个声音在喊："丹哥，丹哥！"我一看，是国际羽联的摄影师在冲我招手。所以，真正对我的到来感兴趣的还是羽毛球界，以及驻伦敦的中文媒体。在去颁奖盛典之前，我就跟自己说，我代表的不仅是中国，更是羽毛球这项运动。

在伦敦，我有一个很深刻的体会：每一年我们中国体育界诞生这么多的新科世界冠军，不只是羽毛球这个项目，但真正有影响，或者像劳伦斯的主题"运动改变世界"、改变人生的项目，还没有。最主要的，是要看这项运动是不是具备很大的魅力，是不是让全世界各个国家的人都很喜欢，是不是面向全球、具备商业价值。有了这个平台，你才能去展现你的个人魅力，否则就很局限。

最终，上一年度拿到三项大满贯的网球选手德约科维奇问鼎年度最佳男运动员。颁奖礼上，现场短片首先讲到博尔特是跑得最快的地球人，

•……… 2012年初林丹飞赴伦敦出席劳伦斯奖颁奖典礼，受到英国首相卡梅伦的接见。

然后讲到F1的速度有多快，讲到德约科维奇能把网球打到多快，当时我好想站上台说："不对，你们都错了，羽毛球才是世界上速度最快的运动。"

羽毛球对速度、耐力、爆发力的要求都非常高，是世界上对运动员综合能力要求最高的运动之一。马来西亚的陈文宏打出过421公里的时速[1]，据我所知，他手上是有吉尼斯世界纪录证书的。

2011年我拿下了五项国际羽联超级系列赛和大奖赛的冠军以及世锦赛冠军，在羽毛球男子单打领域中已经非常了不起，但没有人关心羽毛球。我去到那个地方，才知道什么是真正的国际性运动。

每年的世界羽坛，中国会瓜分掉很多冠军，剩下的就是韩国、印尼、马来西亚、丹麦。十几年来这已经成为一种现象。但我觉得，如果这个项目不能成为一项国际性运动，永远都是自己在那儿玩，自娱自乐，那未来的路将会非常窄，不会受到太大的关注。

在劳伦斯的殿堂，中国运动员中此前只有姚明、刘翔先后荣获过最佳新人奖。在中国，很多人还是把目光放在奥运会上，认为这才是最根本的。为了祖国的荣誉拼搏，在奥运赛场上升起国旗，这都没有错，甚至是非常伟大的一刻，也可能是终生难忘的一刻。但同时我们也要问：为什么有的运动不需要通过奥运会，依然能获得全世界的关注？因为它有这样的魅力。像足球、网球、篮球运动本身的魅力已经远远超越了奥运会。

1 2009年9月，马来西亚男双名将陈文宏创下421公里杀球时速，刷新了2005年由中国男双名将付海峰所创的时速332公里的吉尼斯世界纪录。

而其他一些运动却需要奥运会这样巨大的舞台来展现运动员的价值。这有本质的差别。我希望有一天，我能坐在电视机前看到有羽毛球运动员，无论男女，能够在劳伦斯的殿堂得到提名，甚至获奖。

在NBA，是科比、乔丹这样的巨星让一个美国人玩的职业联赛风靡全球。他们用自己的魅力征服了亿万人的心，让NBA成为多少青少年梦寐以求的运动殿堂。在湖人队的主场斯台普斯球馆，会有忠实的球迷祖孙几辈人每年都来买套票，坐在同样的位置观看这支球队的变迁。这样的一种文化是多么令人羡慕！

很多人喜欢足球界的巴萨、网球界的费德勒，都是因为他们把这项运动最精华的、最美妙的部分通过他们的表现让全世界看到。他们代表的不仅仅是他们的国家，更是这项运动。所有人都知道费德勒是瑞士的，但费德勒打球不会只是为瑞士争光。就像巴萨是西班牙的，他们的头号人物梅西却是阿根廷人，西班牙的本土球员也只是球队的一部分；他们是世界上最棒的豪门俱乐部，有他们独一无二的打法；他们代表着这项运动最先进的水平和最顶尖的魅力，这早就超越了为国争光的水平。

而在中国，运动员的终极舞台只能是四年一次的奥运会。一个运动员的职业生涯没有几年，他们在拿自己的青春当赌注，去赌这四年一次的奥运会，我觉得这太残忍，也太残酷了。竞技体育本就够残酷了，而要让所有运动员的职业生涯变得四年才有一次价值，那不是更残忍了吗？

所以，当我7月踏上伦敦奥运会的羽毛球赛场——温布利体育馆时，我不希望只是为了金牌而战。2011年，我在那里拿到了职业生涯的第四个世锦赛冠军头衔。那场男单决赛应该算是我和李宗伟交手记录中的经典之一。虽然我们两人之前曾23次交手，但在世锦赛上相遇还是第一次。

当时，在2010年世锦赛上8进4负于陶菲克之后，一年来李宗伟战绩惊人，取得了42胜2负，牢牢地占据了世界第一。而一年中仅有的两次输球，就是在亚运会男单决赛和韩国超级赛决赛上输给我。

有人说，只要越过林丹，李宗伟就能成就霸业。这些话的感觉让人多么熟悉，就像当年他们当年说我与陶菲克一样。英国也是李宗伟的福地，

●……… 2011年8月，囊括羽毛球世锦赛全部5项冠军的国家羽毛球队凯旋回京。林丹等明星球员在机场受到热情球迷的“堵截”。©东方IC

●……… 林丹家中收藏的一部分奖杯、奖牌，印证着羽坛“超级全满贯”的辉煌。

•……… 2012年5月27日，第27届汤姆斯杯决赛在武汉体育中心举行，前体操奥运冠军李宁到场观赛，为林丹加油助威。©中体在线_安灵均摄

•……… 2012年汤姆斯杯颁奖礼上，中国队全体队员和教练举手共庆汤杯五连冠。©东风雪铁龙

我们都还记得2011年年初的伯明翰，李宗伟战胜我，首次问鼎全英赛冠军后跪地掩面而泣的那一幕。

但是六次参加世锦赛、连续三年排名世界第一的李宗伟，却还从没收获过一个世界冠军。2011年世锦赛，李宗伟夺冠的心情比我更加迫切。然而我两次挽救赛点，第四次问鼎世锦赛男单冠军。我向世人证明，我不会满足于“全满贯”，世界羽坛依然在林丹的统治之下，我依然还在不断地刷新历史。

那是这么多年来我们两人发挥得最为淋漓尽致的一场比赛，李宗伟也表现得像个巨人，距离世界之巅只是差之毫厘。而对我来说，那不过是我的第15个世界冠军。

2011年世锦赛时我夺冠的温布利体育馆，正是伦敦奥运会羽毛球的比赛场馆。但我不会去暗示自己那片场地给我带来过多少好运。我只会想到，一年前，我和李宗伟在这里奉献了一场最精彩的男子单打决赛，不仅是给自己，也是给对手，最重要的则是给这项运动、给所有到场的球迷，甚至电视机前收看比赛的球迷的一份礼物。这份礼物已经超出了比赛的胜负本身，我只希望将来还有人会对这场比赛津津乐道，而不再停留于谈论谁拿了冠军。我更希望，伦敦奥运会上的我们，依然能够联手献出一场酣畅淋漓的对决，然后被写进史册。

我时常觉得，能生在这样的一个时代、有这么好的机遇是我的幸运。每个人与生俱来的使命不一样。有的人就是要拿世界冠军，最后也拿到了。但是就我来说，可能这还不够，我还有很多事情要做。而有些目标，需要的是几代人的坚持与努力。

PART 4
谢谢你的爱

01
初见你的温柔

是怎样的缘分，才会让两个人一路走来变成一家人？很多人都知道，我跟谢杏芳的爱情几乎贯穿了我的职业生涯，但却不知我从见她的第一眼起，就已对她一见钟情。

小的时候，我跟所有男孩子一样，喜欢漂亮女生。无论走到哪儿，肯定是长得最漂亮的女生最先引起男生的注意。那时候，我们都没有去想过将来的另一半会是什么样，因为总觉得那还离我们很远很远。

我和谢杏芳的故事要追溯到15年前，我还在打全国青少年锦标赛时。有一天，我跟队友一起在看台上看比赛，他们就指着远处一个女孩说："你看，广东队那个女队员，叫谢杏芳。"当时阿芳好像还在打双打，她剪着一头利落的短发。我们在看台上一片惊呼："哇，腿好长啊，个子好高啊。"

因为离得有点远，看不太清楚。我们就背地里议论，这应该是打羽毛球的里面长得最漂亮的女生了吧？那是我第一次听说谢杏芳这个名字。就是这第一次，我远远地望过去，留下了惊鸿一瞥。

很快这件事就淡忘了。因为我根本没有什么非分之想，就觉得那肯定不可能。首先她大我几岁，跟我不是同一批，而且我想人家肯定有男

●……… 和阿芳在国家队宿舍甜蜜合影。

朋友。我只是单纯地觉得，这女孩子不错啊，很漂亮，仅此而已。

然而，有缘分的事，老天总是会替你安排好一切。那次比赛后没多久，有一天我们正在福州的铜盘基地训练，我们教练说："今天会有中国青年队的运动员过来，他们要在我们这儿备战亚洲青年锦标赛。"他说，"如果人员不够的话，像林丹啊，吴勇啊这些打得比较好的，要过去当陪练。"那是1998年，我15岁。

结果等青年队真到了的时候，我突然就看到她站在队伍中。当时还有龚睿那、蔡赟、陈郁他们这一批的其他队员。知道她来了之后，也没敢多想，总以为陪练嘛，肯定也是陪男孩子训练。但能再次见到她，还是很高兴。"哇，谢杏芳居然来我们八一队了。"心里暗自欢喜。

之后有一天训练结束后站队的时候，也是很偶然的，教练突然宣布："林丹，你今天下午陪谢杏芳打2点到4点的训练。"我嘴上"哦"着，其实心中窃喜，感觉赚到了。那时候我也没打得多好，但是做个陪练还是可以的，毕竟阿芳是女孩子。整个下午，我们俩只是默默地打球、捡球，也没有聊天，更别说要电话了。因为训练的时候教练都在，所有队员也在，根本没机会讲话。而且，那时候大家都还没手机呢。

从我第一次被她"秒"到，到给她当陪练，我心里再也忘不了这个眉清目秀、笑起来很温柔的女孩子。这便是我人生第一次知道“暗恋”的滋味吧。老天把她带到我面前，却没有告诉我故事该如何继续。等我真正要到谢杏芳的电话，已经是五年后了。

02
第一次的约会

“相约98”之后，谢杏芳就这么从我的生活里消失得无影无踪，几乎没有什么再接触她的机会。虽然2000年我也入选了国家队，可大家都知道，我是国家队“网开一面”才进去的，每天光是担心能不能练好，第二天会不会挨教练骂就已经够我提心吊胆的了。因为教练本来就不喜欢我这种调皮的运动员，我刚进国家队的时候老是被教练罚。我感觉要再练不好，基本上没几个月就要被淘汰，打背包回福州了。所以我整天活得诚惶诚恐，特别紧张。

一直到2003年，我几乎每天都可以见到她，但是她并不知道有一双眼睛在默默地关注她。

经过那几年的努力，我开始慢慢占据着男单主力的位置，所以情况就好了很多，说话的声音也大一点了。这时候，大家都在一队，都是队友了，就不会觉得比别人矮一头，感觉阿芳也不再那么遥远了，可以很自然地打个招呼，聊聊天什么的。直到这时候，老天好像才又重新想起我这个被“遗忘”的小孩。

2003年年底，我们再次来到福建晋江，备战第二年的汤尤杯。我是福建人，跟晋江基地祖昌体育馆的馆长张汉民很熟。我们的宿舍在四楼，他家就住三楼。晋江那地方不大，体育馆所处的位置又比较偏僻，出门也不好打车。所以有的时候，张汉民就会开着摩托车带我出去买东西、

•……… 2008年奥运表彰后，身穿军装与阿芳合影。

逛超市什么的。

快过年了，队里决定办一台晚会，由大家表演节目，还有抽奖环节。那次谢杏芳抽奖中到一部手机，她的幸运随后也转化成我的幸运。她跟队友说，想给她老爸换一部手写的。我听到后就自告奋勇，说："可以啊，我去帮你换。我找手机店的老板说一下，反正也是新的，大不了就贴点钱嘛。"她犹豫了一下，说："那好吧。"

于是，我就又去找张汉民，我说："你开摩托车带我出去找家手机店吧。"他见我这么积极张罗阿芳的事，也就明白了。所以，全世界第一个知道我开始追谢杏芳的，应该就是张汉民了。换回了手机，我就可以自然而然地跟她要电话号码了。这对我来说，简直是迈出了一大步，至少不再徘徊在原地了。

那时候，张哥（张汉民）老开玩笑叫谢杏芳"秋香姐"。有的时候，比如训练结束或者是星期天，我会跟张哥一起去肯德基买吃的回来。有一天，我说："走，我们去肯德基打包点吃的吧。"买完回来走到三楼，经过他家门口，他说要不去他家吃吧，我说："不去了，我给人打包的。"张哥就又开玩笑："嘿嘿，给秋香姐的吧。"

运动员都比较单纯。一开始我也不想表现得特别明显，只是想对她好。慢慢地，队友们谁都看得出来，我特别照顾谢杏芳。在集训快要结束的时候，我也决定要结束这段“暧昧”期。于是，有一天我给阿芳发短信，约她出去吃饭，还特别强调了“就我们两个人”。

哎，没错，我记得还是借的张哥的摩托车。我们在电影里经常看到男生开着摩托车载女生出去兜风，女生靠在男生肩头，好像要义无反顾地跟他走，多浪漫啊。可是以眼前的条件，浪漫不起来啊。张哥的摩托车不是特别酷的，而是很中性，男女都能骑的那种。我也不管了。那天我特别开心，载着阿芳找了一家日本料理店。这就是我们的第一次约会。

等坐下来，我突然发觉自己紧张得不知该说什么好。反正我知道，肯定不能没头没脑地上来就一句“我追你吧”。我们就这么有一搭没一搭地聊了半天，饭吃到一半，我有点开玩笑地问：“哎呀，你现在有没有男朋友啊？”她说：“没有啊，怎么了？”我说：“那……”反正就稍微暗示了一下，又像是开玩笑似的，我说：“我也没女朋友呀。”表面嬉皮笑脸的，其实心里一直在打鼓。现在回想起来，一副“屌丝”的形象跃然眼前。

这顿饭吃完以后，我们的短信联系也频繁起来，我们已经不再是普通队友了。虽说羽毛球队对队员恋爱一向比较开明，算得上有人情味，可因为年轻，还是多少有些忌惮。如果在晋江那次被人撞见，我都不会觉得有什么，就是吃个饭而已。可等集训结束回北京后第一次约会时，我是真的紧张了。

可结果还真就应了那句话——怕什么来什么。回北京后，我约阿芳出去，她也怕遇见熟人。我们就商量好，我先出门打车停在天坛公寓附近，那儿应该是大家不会注意的地方，然后叫她走出来上车。我们这边刚上车，叫司机掉头，准备去吃饭，平时很少给我打电话的一个队友突然打了个电话给我。他问：“你干吗呢？”我一听，就觉得奇怪，因为“心里有鬼”，我说：“没干吗啊，我在车上啊，准备出去吃饭。”他又问：“你跟谁一起吃饭呢？”我一听就傻了。这个人是蔡赟，他平时不怎么找我的呀，怎么这会儿问起这个来了？我回道：“啊……跟队友啊。”他在电话里笑了一下，说：“没事没事，你去吃吧！”我心想，完了。我是那种没有说谎天赋的人。

但我当时并没有告诉谢杏芳，我不想她也紧张。从那以后，队里很多人即便不知道我跟谢杏芳在一起，也知道我肯定在追谢杏芳。

03

爱情保卫战

爱情很奇妙，让人充满无限的能量。2004年年初的瑞士、全英赛我连夺两站冠军，坐稳男子单打世界第一。那时我跟阿芳的感情刚刚开始萌芽，媒体称我们是“神雕侠侣”，更多的是因为我们俩相差3岁的年纪。但“神雕侠侣”不好当，我们走得很艰辛，并不被外界看好。面对浇下来的一盆盆冷水，我并不在乎别人看好或看坏。

虽然我是天秤座，但算不上优柔寡断的人。我也有选择自己生活的权利。说实话，从开始认识这个自己第一眼看到就很喜欢的女孩，一直到谈朋友，甚至到现在，很多人都不是很看好我们。包括队里的教练、媒体等等。在这样的环境下，我和阿芳有时也会因为外界的看法而不开心。2004年，我已经是队中的主力了，教练对我们还是多多少少睁一只眼闭一只眼，但也不希望我们表现得太明显。最重要的原因是，他们根本不看好我们，就随我们去了。

也就是从那时起，我开始有了保护阿芳的冲动和责任，保护自己的女朋友也是守护我们的爱情。我们都还很年轻，那时我还不到21岁。但作为一个男人，我有责任为对方遮风挡雨，做女朋友的“保护伞”。这不是写一封情书或者口头上说说就有用的，一定要有实际行动。有一次聊天的时候，我跟阿芳说：“你放心，我会用我的成绩保护好我们的爱情。”这是我当时唯一能做，也必须这么做的事。我们的第一个情人节就是在一种即使被全世界抛弃，也不放弃对方的心情中度过的。

•……… 2009年12月19日，一对备受瞩目的情侣——林丹和谢杏芳现身中国羽毛球俱乐部联赛的看台上。©东方IC

这些年来，我也体会到了一些人情冷暖。我看到的中国社会就是这样，你牛×一点，就没人敢说你；或者你拳头大一点，就没人敢欺负你。我必须拿出更好的成绩，我要成为绝对主力，这样教练就不可能还把我当小孩一样训。这就是中国，很现实。

2004年5月我们在印尼雅加达出战汤尤杯的时候，被媒体抓拍到一张照片，后来被误解成是我在亲吻阿芳。实际情况是，当天的汤杯决赛，前一天已经拿下尤伯杯的女队队友来给我们加油。在我拿下第一分后，我也加入到助威团中。现场的气氛非常热烈，也很吵，不少队友都拿着助威棒站到了椅子上，阿芳也是其中之一。我记得我很兴奋地转身跟她说："我们就要一起成为世界冠军了！"因为听不清，阿芳就俯下身来努力听我说，于是被误认为我们是在亲吻。

不过，因为奥运在即，当时的媒体都还算护着我们，没有在我们的恋情上大做文章，直到我在雅典首轮出局后。输球的那一晚，我彻夜未眠，在北京的阿芳也陪了我一整夜。也正是她的一条条越洋短信，让我撑过了最难熬的那段日子。一点也不夸张的是，我发短信把手指都摁肿了。因为有时差的关系，其实阿芳比我更辛苦，因为她几乎没怎么睡，第二天就又要起来训练了。

面对媒体的追问，我们并没有遮遮掩掩。首先，我是一个运动员，我不是艺人，真的不需要那些很虚伪的外衣来包装自己。职业运动员的首要工作是打出好成绩。其次，年轻人谈恋爱是再正常不过的事情。那些一被媒体问到就连忙否认“没有没有，我们只是朋友”的明星们，不是太假了吗？你不想让别人知道你在恋爱，是出于什么目的呢？想保护你的另一半，还是自私呢？我觉得是太把自己当回事了。

每个人都有自己的生活方式，可我们常常会被迫在别人的规划下生活。他们会告诉我“你这么做更好”“你找个那样的才好啊，傻瓜”。在中国，更是有“不听老人言，吃亏在眼前”这样的古训。

这么多年来，我时常有种感觉，就是周围的人似乎还没学会承认别人的好，也不懂得赞美和祝福别人。相反，越是看到别人过得不好，越是愿意去同情他。甚至可能是以匪夷所思的大方去帮助别人，哪怕自己家里都揭不开锅了，也要分给别人一口吃的。但是一旦看到别人过得比他好，心里就不乐意了。

无论是爱情、工作还是生活方式，都不需要和别人比较，自己喜欢就好。有的人可以每天喝几千甚至几万元一瓶的红酒，他有这个能力去喝，但这并不代表你和你的朋友喝几块钱一瓶的啤酒，就不比他开心。这只是选择的不同而已。

有时候，内心的安定和满足远比物质带给你的安全感要来得强烈。在你追求财富、权力的同时，相应地也需要付出得更多，而牺牲掉的是你和家人、朋友相处的时间。最终有一天，你也许得到了很多，但也许会失去得更多。我们并不能简单地认为有些人是满足于现状，他们也许是知足常乐。珍惜现在所拥有的，反而活得自在、快乐。

年轻人就是要坚持自己想做的事情。即使有一天受伤了，付出了惨痛的代价，那也至少是我自己的选择。永远让别人规划你的生活，父母告诉你去英国留学吧，回来再去一家世界500强企业，或者通过全家的关系让你去做公务员，然而这些可能都不是你想要的。人这一辈子，能够做自己喜欢做的事情真的很难得。坚持自己的理想吧，也许会失败，但也不枉这辈子有过一次这么坚持自我、义无反顾地做一件事的经历。生活永远被人安排好了，你不觉得这样很没意思吗？有时候，成功只是因为你多坚持了一下。

也许我的性格中是带着点“好莱坞式”英雄主义的。迈出了第一步，面对未知时一定是有风险的。也许结局会很惨，但因为年轻，就什么都不怕。还有一种可能就是，收获的结局比想象中的还要美。

如今29岁的我，庆幸21岁时的林丹有这份勇气、执著和担当。而在当时，我只有一个念头——不被看好就不被看好，我就是喜欢她。

04

幸福摩天轮，一吻惊天下

从雅典回来后，我几乎没有休息，就开始了恢复训练。我和阿芳的恋情成了众人皆知的事情，我在面对媒体时也坦白地承认，我们就是要成为像当年丹麦的盖德和马丁一样的金童玉女。

2004年下半年，参加雅典奥运会女单比赛的张宁、周蜜和龚睿那几个不是在忙自己的私事，就是在考虑要不要继续坚持。于是，谢杏芳就带着朱琳、卢兰等更年轻的一批师妹出去打公开赛。阿芳抓住了那次机会，连续拿了6站冠军。

在雅典奥运会之前，谢杏芳已经具备了一定的实力，而且她的球风有特点，外战没怎么输过。但是面对她的三位师姐，整体实力还是没她们强。体能、经验都不如她们，打起来也比较吃亏。2004年的这一轮强势反弹，给了她，也给了我不少信心。我们开始经常一起在男女单决赛中折桂，媒体也总是变着花样起各种新闻标题。我印象最深的是一篇《男单男朋友，女单女朋友》，报道我们俩同时夺冠。

• ……… 2009年，林丹与阿芳牵手在上海新天地逛街。©邹晔

•……… 拍广告的间隙也不忘用手机玩自拍。

•……… 2011年7月，世锦赛前理个发，被阿芳偷拍了。

转眼到了2005年的全英公开赛。伯明翰是我们爱情的见证。正是在2004年的全英赛期间，我们的恋情被第一次“曝光”。那年我打进了决赛，结果我拿到了我第一个全英赛冠军，而她在1/4决赛中负于周蜜。

再一次一起出征全英赛，天气非常冷。有一天走到体育馆门口，阿芳看到对面的摩天轮，说：“不如等决赛后，我们一起上去吧！”我说：“好啊。”后来，我们再次双双闯进决赛，结果阿芳拿到了她第一个全英赛冠军，而我却输给了队友陈宏。在摩天轮上，阿芳为了安慰我，就提议，只要以后出去比赛看到有摩天轮的话，就一起去坐。我说“好啊”，心里就想着：明年还要一起夺冠，再到摩天轮上去看看。

难得的是，第二年，我们在伯明翰第一次同时问鼎冠军，成了真正的金牌情侣。2006年1月的英国正值隆冬，即便是周末，街道上也没什么人。可惜的是，因为第二天一早就要赶飞机，之前的约定没能履行，只能远远地看着摩天轮望而兴叹，那成了那次伯明翰之行中唯一的美中不足。

在某种程度上，摩天轮就是我们那两年爱情和事业的见证。这之后，我们还去过巴黎香榭丽舍大街上的摩天轮，就在塞纳河边。后来听说伯明翰的那座被拆了，我和阿芳还感叹了好久，觉得好可惜。

•……… 谢杏芳的球包上挂着两人在2007年全英公开赛上双双夺冠时的合影。©邹晔

那次全英赛回国后就是2006年的春节。队里难得放假，而我自己也有11年没在家里过年了。阿芳的家人也在广州盼着她早点回家团聚。等我回到龙岩老家，几乎每个人见到我就问："怎么不带谢杏芳一起回来？"不过这顿团圆饭并没有推迟很久。元宵节这天，阿芳第一次见了我们全家人，大家聚在一起像一家人一样，过了一个团团圆圆的元宵节。只是地点改在了福州——中国羽毛球队的集训地。虽然之前爸、妈、外婆都分别见过阿芳，但能在家里一起过节，感觉还是不一样。

一年后，我们再次回到伯明翰。2007年的全英赛，成为我和阿芳职业生涯中第10次一起称王封后的赛事。那一次的赛程打破惯例，男单决赛在女单之前率先进行。因为以前总是阿芳在比赛结束后等我，这一次我要给她一个惊喜。在2比0击败队友陈郁卫冕成功后，我就赶快回去作准备。

女单决赛被安排在压轴登场，这给了我充裕的准备时间。最后，谢杏芳轻松地以2比0取胜皮红艳，两局只让对手得到19分。谢杏芳为中国队完美收场，受到了现场8000多名观众的欢呼和祝贺。这时我已经等候在球员通道。当她走上领奖台时，我捧着一束玫瑰向她走去。即便没有事先彩排，百年全英赛的氛围也是世界上最棒的。追光灯一路伴随着我走到阿芳面前。也许是灯光太刺眼了，阿芳一开始并不知道发生了什么。当我走近后，她也非常开心。现场响起各种惊呼、尖叫与口哨，我拍拍她，亲了亲她的额头。大概是此前没有人如此大胆过，现在又是一向被认为过于内敛的中国运动员做出来这样的事，所以媒体都挺兴奋地全都拥上来。本来我已经准备退场了，现在阿芳干脆大方地拉住我留下来一起让媒体照相。唯一的遗憾是，那天没能买到鲜花，最后在朋友的帮助下才找到一束玫瑰。两次在全英赛上双双登顶，是我和阿芳最开心的记忆。

05

北京奥运，携手走过

在羽毛球历史上，只有印尼的羽球伉俪魏仁芳和王莲香在1992年的巴塞罗那奥运会上先后问鼎男女单打冠军，成就一段佳话。而我能与谢杏芳一起参加2008年的北京奥运会，这本就是一件值得骄傲的事。

但是我相信，这对我们彼此既是个激励，同时也是牵绊。在备战的最后两个月里，我们首先要各自忙自己的训练，因为有时男女单的训练时间不一样。慢慢我们就达成了一种默契，只有每天训练结束后才会发短信问一声：你在干吗？完了就忙着看比赛录像去了，每一天都过得很紧张。

然而，离奥运会只有不到一个月的时候，阿芳突然生病了。医生诊断说是带状疱疹，是训练疲劳导致免疫力下降引起的。当时我们两个心里都不踏实，怕影响到对方，就彼此鼓励说，没关系，那就好好治疗吧。那段时间，阿芳的训练已经完全停了下来，每天就是打点滴、休息、看录像。这么过了半个月，奥运会已经非常临近。

当时天坛公寓距离奥运会的比赛场馆北京工业大学体育馆交通更方便，而且饮食、训练也更有保障。因为，奥运村虽说设施齐全，但是餐厅毕竟是大锅饭，每天排队取餐要排很久，而且力量房里人也很多，训练无法得到保障，总之种种不便。所以当时队里决定让我、张宁还有女双的杜婧、于洋留守在天坛公寓，其他队员都搬到了奥运村。阿芳本来也想留下来，但队里的意思是，单独住在外面风险也大，最后只好作罢。就这样，我跟阿芳一个住在村外，一个住在村里。奥运会前几天，每天比赛结束后，她都要乘40分钟车回到训练局训练。置身于那样的氛围中，本来心情就容易紧张，每天再这样来回折腾，确实容易烦躁。

那段时间因为赛程被错开，我跟阿芳几乎碰不到面，每天只能通电话。也没聊些什么，只是问“你在干吗？”“哦，吃饭，好吧。”“怎么样？刚打完，那好好放松吧。”说的都是这些，基本上从来不聊比赛。哪怕是这样平常的问候，对我们来说也能安心许多。从恋爱到现在快九年了，我们还是天天都会通电话。我们不仅习惯了对方的问候，而且这已经成了我们生活的一部分。

阿芳决赛的那天下午，对我们来说，都是人生的一个拐点。那是她的第一届奥运会，也是最后一届。那天决赛后我发出的那条短信，有心疼，有骄傲，也有对我自己第二天决赛的坚定。我是这么写的：“你已经打得非常好，尽力了，这就没有遗憾和伤心。我以你为荣！”她过了很久才给我回电话。我听得出她哭过，但是她只说了三句话：“我没事。你放心吧。你明天加油。”我到现在都还记得。

阿芳离开赛场的时候，志愿者一直把她送到了门外。除了那枚银牌，她把身边能送的小东西都送给了大家，还和志愿者交换了衣服。她那天是穿着志愿者的T恤回到奥运村的。

这场球到现在依然深深地影响着我，让我对自己的职业生涯有了不一样的看法。没错，竞技场上只有坚持到最后的那个人，才能获得最终的胜利。可是运动员的价值不是简单地用金牌或银牌来衡量的。四年过去了，你会发现依然还有很多人喜欢谢杏芳，直到现在，人们谈论起这场球的时候都会说：“哎呀，这个小姑娘特别可惜，我们都很想她能赢得这场比赛。”再过很多年后，当人们说起那场令人荡气回肠的决赛时，还

• ········· 2008年8月17日，羽坛“神雕侠侣”——林丹和谢杏芳共同出席北京奥运会的赛后新闻发布会。©东方IC

会用这样的口气:“3分，只是3分……”

等了又一个四年，仅仅只输了3分，就使两个人有了截然不同的命运。但是第一、第二只是留给了那场比赛，被定格在历史中。如果你的球技、你的球风、你的人格魅力能深入人心，多年后还为人所津津乐道，我觉得这才是一名优秀的选手，甚至是伟大的运动员。只有等事情过去五年、十年甚至更久之后，依然有人因为你这场球的魅力改变了他们的一生，让他们重新审视自己的价值观，并发现了那个特别用心、特别努力的你，这样的运动员才能被历史记住。

北京奥运会上中国羽毛球队最终收获了三枚金牌，分别是男单、女单和女双。而非常神奇的是，金牌得主恰好就是我们留在天坛公寓的那几个人。

06

我爱我家

“今年春节也是情人节。我是你的恋人，还是家人？”

“希望我们是一家人！”

这是我在2010年春节档播出的一个电视广告里的台词。而当2010年走到尾声，我也和谢杏芳在广州登记结婚了。从此，每年的12月13日便成为我们的结婚纪念日。

经历了这么多年的国手生涯，我们四处征战，打了无数比赛。每一次当你从领奖台上走下来后，又要把自己的位置放得很低，重新向新的目标发起冲击。反反复复那么多年，其实挺累的。2008年以前，我会全身心地投入在事业上。但是当我的经历、阅历增加后，我的身份和角色必然也要发生转变。如今，我已快30岁了，我不仅仅是国家队的一名运

• ········· 2012年情人节林丹送给阿芳的玫瑰。

动员，我也需要有自己的家庭。我一定要有一个角色是属于我家人的。我会用更多的时间回去陪他们吃饭，和他们一起聊天，和他们一起生活，甚至一起出去旅行。

“广州女婿”被叫了很多年后，我一直梦想着要把谢杏芳娶进门。我记得在广州亚运会男单夺冠的那天晚上，阿芳的娘家人、广州的媒体记者们就一直在“逼问”我什么时候向阿芳求婚。当时我只能说：“一路上，从我进国家队到现在，阿芳都一直陪伴着我。从2004年的雅典、2008年的奥运会，一直到今天，我们一起经历了很多。她是最适合我的那个。”这算是向全天下人许下的承诺吧。

然后我们决定在2010年12月13日这天去领证，之前也并没有大家想象中的求婚过程。之所以选在这一天，一来恰好有时间，二来日子也好记。而这中间还经历了一段小插曲。因为领结婚证需要部队开具证明，所以我很早以前就给部队打了报告，但是这份证明是有有效期的，我又总是突然有比赛，抽不出时间来，第一次就没有登记成。我当时问，能不能在北京登记啊？结果发现要么就是去我部队的所在地南京，要么就是回福州，或者是阿芳的户口所在地广州，其他地方都不行。于是，我又找到了我们部队的干事。他瞪大了眼睛，不知道我们在搞什么“飞机”：“啊，第一次你们没有登记吗？”我说：“哪有时间啊，你再帮我申请一份吧。”所以亚运会打完后不久，赶在证明的有效时间内，我们在广州登记结婚了。

那天是周一，我们怕很多人排队，为了能够顺利一点，就事先跟广州市白云区民政局做了预约。结果，民政局领导非常热心，也来陪着我们一起登记。他们这么热心，我们当然很感谢，但是又觉得挺尴尬的。登记本来是两个人的事情，结果还有领导全程陪同，完了还一起照相。我跟谢杏芳走进民政局大厅，就看到有工作人员在拿手机拍照。当时我就觉得：好吧，就这样吧，拍就拍吧。

最让我紧张的是两个部分，一个是两个人在同意书上签字。这是很神圣的一刻，跟婚礼的意义还不一样，名字签下去，就代表我们是被法律保护的一对新人了。宣誓倒还好，因为是跟着念。另一个就是照结婚照。因为是两个人坐在一起拍证件照那种非常传统的形式，所以内心还是小小地澎湃了一下。等所有的章盖完，结婚证拿到手以后，那一刻我只觉得：这就结婚了？就算结完婚了吗？那种感觉很奇妙。但是还没等我好好地体会体会，民政局的工作人员又一起来跟我们照相，还留我们一起吃饭。所以，以一种非常戏剧化的方式，我们就这样顺利地结为夫妇了。

多年来，我跟阿芳的一举一动都被放在媒体的显微镜下，几乎没有秘密可言。在面对婚姻的这个神圣的时刻，我们原本想安安静静地享受只属于我们两个人的时间，结果没两天，我们领证的照片就在微博上流传开了。

芳芳从原来的女朋友变成现在的妻子后，我的责任当然也会不一样。我不只是要多赚钱，给她更好的生活，从某种程度上来说，我们也会越来越依赖对方。我很喜欢热闹的家庭氛围。现在我最享受的就是训练完回家后，爸、妈、芳芳都在，有时候表妹也会来，一家人一起吃饭。有时候阿芳在北大有课，或者当天要出去工作，北京交通又特别堵，回来比较晚，我们就会等她一起开饭。有时候我训练结束回家晚了，他们也都会等我。这种家庭生活给我的感觉就特别温馨。

结束在广州亚组委的工作后，谢杏芳进入北京大学社会工作专业攻读研究生。这也是她的兴趣所在。平时，她会参与到中国运动员教育基金会的项目中，帮助一些运动员实现退役后的再学习和成功转型。

现在，阿芳需要更多地和PPT、板砖厚的资料打交道，跟同学们一起参加课外讨论，一起去北大食堂吃饭，她已经习惯了她的新角色。在家有空的时候，她也在苦学英语，常听她口中念念有词。

说起学英语，还有个段子。有一年在法国参加超级赛，我们一起去老佛爷百货公司[1]。当时我想买一支控油的洗面奶，结果阿芳看看我，犯难了，说："这太难了，我只能说明是买洗面奶还是乳液。"她的英语水平还没到能说"保湿""控油"这个阶段。我当时故意逗她："那你什么都不会，英语怎么学的啊？那我带你出来干吗？"我那是种激将法。两口子就是得经常"掐"才有意思。

九年时间来，我所了解的阿芳是个非常普通的女孩子，很多时候都是我主动给予，她很少提出什么要求。我和她在一起感觉很放松，几乎没什么烦心事。这也让我把回家当作是每天最愉快的事情。随着婚礼的临近，每当芳芳谈论起婚礼现场布置的色调啊，花卉啊，我能感受到她的那种向往，就像每个普通女孩对于婚礼的向往。我就在心里对自己说："哇，一定要做好，不能搞砸。"这些年参加过不少朋友的婚礼，低调的有，盛大的也有，而真正属于我和阿芳的婚礼，不需要太奢华，最好的装点就是真诚，最真诚的就是最感人的。

如今一家人生活在一起，让我觉得很踏实。我知道在我身后有一个靠谱的团队。我有时跟他们开玩笑说，我是家里的"首席执行官"，不是那个CEO，而是那个负责执行的，决策则由他们定夺。

我们家是传统的福建普通家庭，我爸妈也是领工资吃饭的工薪阶层。在我家，爸爸是一家之主，妈妈则会维护好爸爸的权威。而很早以前和阿芳聊起未来的时候，我就只有一个要求——一定要和父母一起生活。因为我需要他们，我想和他们一起去弥补以前没有机会经常在一起的遗憾。热闹的家庭氛围让我感觉有生机、温暖、喜庆，那样才像个家。如果就我和芳芳两个人的话，我会觉得太冷清了。而且，我肯定也不会要求她做饭，我自己又不做，那家里就更冷清了。

---

1 巴黎著名的百货商店，以出售高端商品为主。

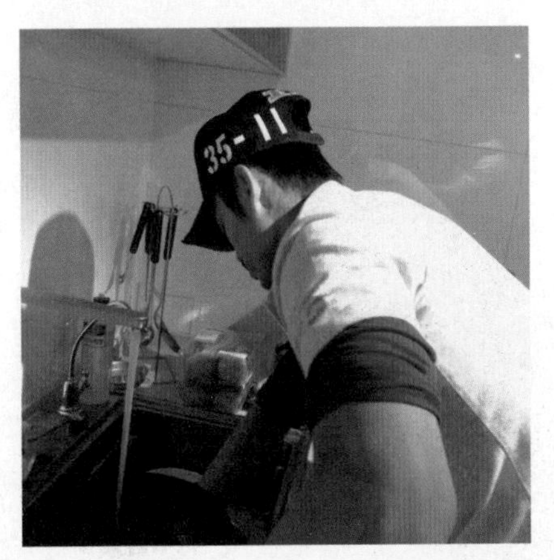

•……… 世界冠军在家也洗锅。

不过现在，只要我有空，又恰好在北京，阿芳也会亲自下厨。两个人，一荤一素一汤，挺好。说实话，阿芳做的菜味道挺不错。不过，就是饭烧得总是刚好两碗，想多盛一勺都没有。说真的，我其实不太够吃。另外，我不希望她下厨的原因是，只要她做饭，我就一定是负责洗碗的那个。洗碗累得我腰酸背痛的，比训练还累，后来我就跟她说，你还是别做饭了。

年龄慢慢大了以后，我更喜欢在家吃饭。周末的时候去朋友家聚会，大家分工协作，洗碗的任务经常就由我包了。偶尔洗个碗倒没什么，只要不是天天洗就行。

很多朋友还知道，我们家有只名叫"辛巴"的泰迪犬，和"狮子王"里的辛巴一个名字。它的到来给我们家带来了很多欢乐。它是在三个月大的时候被阿芳带回家的。当时阿芳在广州，我怕她闷，说养只小狗挺好啊。结果是只小泰迪，棕色的，又是公的，我想就叫小辛巴吧。它在1岁以前都跟阿芳待在广州，所以一开始只听得懂粤语，跟它说普通话没反应。我们是一路开车把它带回北京的。现在它也精通两种语言了。这只狗很聪明，很知道人情世故似的。不用说，它首先只认阿芳是它的主人。第二喜欢的呢，本来是我，现在已经变成了我妈。因为我妈管它的吃喝拉撒，所以它跟我妈也很亲。最怕的就是我了，我会打它屁股，因为它老是闯祸。泰迪本来就很活跃。比方说我们都出门了，家里又养了一些植物，它会趁没有人的时候，把花盆里的土都刨出来。又或者，我们把刚看完的照片随手放在茶几上就出去了，等到回来的时候，一定会全被它咬烂。

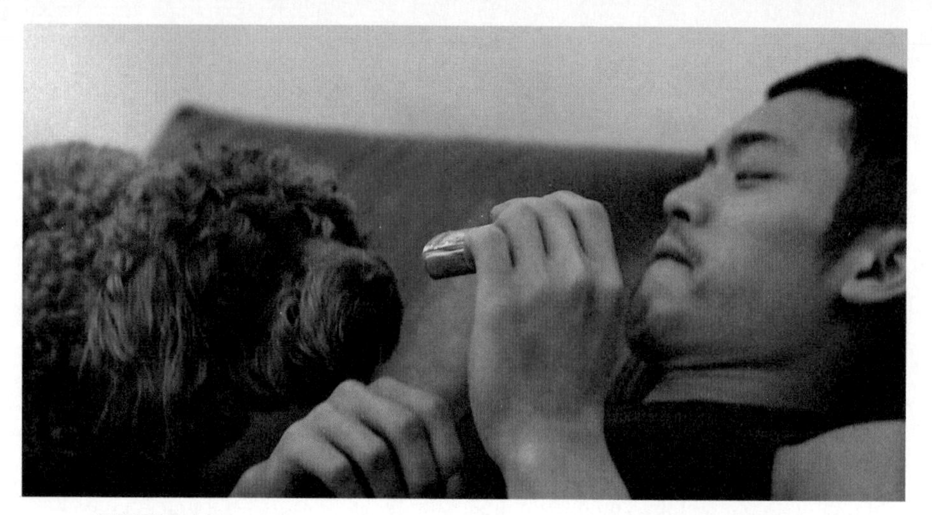

•……… 拿薄荷糖逗逗辛巴。

•……… 辛巴：求好吃的。

•……… 林丹与家庭新成员——丽娜。

•……… 2011年在日本料理餐厅度过了阿芳的生日会，阿芳手上的手镯是林丹送的生日礼物。

•……… 2011年10月14日，在温馨团圆的林丹生日会上。

它就是一刻也闲不住。不过我们从来不会拿绳子拴住它，小狗很可怜的，它爱动就让它跑吧。

生活就是这样，不在于住上了多大的房子，买了多好的车，或是拥有了什么其他东西。也许通过你的努力拥有了这些以后，你会有一种成就感，但那种成就感并不一定就是幸福感。

幸福是训练完开车回来，看到爸妈在小区里打球；幸福是一家人一起逗辛巴玩；幸福是抬头看到二楼我家窗口里爸妈正在做饭的身影；幸福是倒时差睡不着，清晨6点下楼去早餐车给家人买油条。一件件平凡的小事或者一幅幅简单的画面，都会让我莫名地感到幸福。长大以后才发现，最真实的、最简单的、最平常的，就是幸福的。我想告诉所有年轻人——没房没车没关系，只要依然能陪在爸妈身边，吃他们做的饭，听他们唠家常，幸福就在你身边。

2012年伦敦奥运会的时候，阿芳和我的家人都会去现场看我比赛，那样我的压力也不会那么大。因为我知道，不管比赛结果如何，在赛场上某个小小的角落里，他们在无私地支持我。家人的爱是没有一点私心的，是最无私的，这让我觉得非常幸福。

Beijing 2008
adidas

PART 5
一路上有你

01
恩师汤仙虎

从练羽毛球的第一天起，我就不是“三好学生”。我的任性、我的脾气让我一度被认为是不合规矩的，是羽毛球队中的异类。我那些与自己较劲、作对的情绪，直到2007年年底汤仙虎教练来到我身边，才逐渐平息下来，我也逐渐学会了如何与自己和平相处。

在中国羽毛球队乃至世界羽坛，汤仙虎被称为“神奇教练”——37岁才挂拍，60岁执掌中国男双帅印，一手打造男双的“风云组合”……他创造了太多奇迹。他原本可以过上“归隐”的生活，但是他为了中国男单，甚至更直白地说，是为了我，他放弃了安享天伦之乐，重新出山。

在我一路走来的成长过程中，有很多教练曾经给予我帮助。他们都像汤仙虎教练一样，一直默默无闻地用心去工作。幸运的是，在不同时期，他们都在背后推动着我前进，最终才让我有机会在2007年和汤导合作。

在我跟随的这么多教练里面，汤仙虎教练是最特别的。他曾经在印尼执教过，也带过中国队其他组的队员。能让这么多队员都那么信任他，是因为他非常懂得尊重运动员。很多中国教练希望运动员能和他们达成一致，但是汤导愿意听到不一样的声音。他希望呈现在他面前的，是一

•……… 2008年5月11日，2008年汤姆斯杯在印尼首都雅加达的塞纳扬体育馆拉开战幕。在小组赛首轮比赛中，中国队以5比0轻松战胜尼日利亚队，取得首场比赛的胜利，所有参赛选手均以2比0拿下对手。图为男子第一单打林丹与教练汤仙虎。©中体在线_刘亚茹摄

个最真实的自我。这让我觉得很新鲜，我从来没遇到过这种教学方式。当我们之间建立了这份信任后，只会让我们更加坚定地走下去。

我的身上确实有不少毛病。我当然会有我的性格和脾气，当我练不好的时候，我会对自己发火，或是摔拍子。这在所有教练看来，都如同犯了天大的错误一样。他们一定会用最严厉的语气或手段来阻止我，甚至气急败坏地指着我：“你给我下来，不准练了。”因为中国运动员是训练最刻苦，也最听教练话的，没有人敢这么做。可是对我这种性格的运动员来讲，我对他们说的这些根本就不屑。我只会觉得他们根本不了解我。因为，每当我发完脾气后，我都会练得更投入。我就是这种性格的运动员。

可惜，当时我已经在国家队待了八年的时间，却没有一个人发现我有这样的特点和能力。

在备战2008年奥运会期间，我摔了无数把拍子。我从来没想到过自己会摔掉这么多球拍。三天一把肯定是有的，练得不好的时候一堂课摔三把也很常见。但是汤导从来不会第一时间批评我，从来不会。他可能连看都不看我一眼，就转过身去看其他队员的训练。

当我发脾气、摔拍子的时候，会有很多队友停下来看我，女队队友也会悄悄地议论我。而我是成年人，我会想办法让自己克制、冷静下来。

●……… 2008年9月5日，在福建省参加北京奥运会总结表彰大会上，林丹与恩师汤仙虎演唱闽南语歌曲《爱拼才会赢》。©东方IC

●……… 2011年11月11日，羽毛球四大天王争霸赛在东莞结束。图为参赛的四大天王盖德（左一）、陶菲克（左二）、林丹（右二）、李宗伟（右一）与汤仙虎（中）合影。©中体在线_郑迅摄

所以，每次摔完拍子以后，我都会继续选择第二把球拍，回到场地。这时候我会告诉自己：我还要把它练好。等我重新投入训练后，汤导又会转过头来看我，继续把这剩下的40分钟甚至80分钟训练完成好。

等训练结束后，汤导会选择一种非常幽默的方式跟我讲："哎，你这个球拍已经是限量的了，全队为了你都已经停用这个型号的球拍了，都留着给你用。你再这样摔下去的话，可能赞助商也没有办法生产出这样的球拍给你了。"当时我就既不好意思，又觉得他说得有道理。汤导的这一套，是我不得不服的地方。

汤导是过来人。他明白，运动员在巨大的压力下，会以一种旁人觉得不可思议的方式来释放。他看我摔这么多球拍，却特别平静。就好像这一幕也曾经发生在他身上过一样。但按照汤导的说法，"年纪大了，不堪一'激'啊"！

一直到现在，汤导都是我最敬佩的教练之一。我很感谢他，他其实完全没有必要来接手我这样一个队员。但是在2007年年底，队伍决定让他来执教我的时候，他没有推辞。这意味着，他要为此承担超乎常人的压力。要知道，羽毛球最受关注的就是男子单打，这是毫无疑问的。很多人在把枪口瞄准林丹的同时，也会瞄准他背后的教练。所以我觉得，在汤导这样的年纪，还要他来承受根本不该他面对的一切，实在是出于师徒之间的恩情。

早几年汤导执教男双的时候，我也听说过一些趣事。比如冬天的北京天气寒冷，早上7点队员起床，没有人敢去吵醒睡梦中的汤导。直到一小时后，全队在公寓楼下集合乘大巴去训练馆，才会看到汤导手里拿着一盒牛奶，慢慢地下楼。

因为经常头疼，汤导常年戴一顶鸭舌帽。有时队员想偷懒，也辨不清汤导的目光到底在哪里。但总在我们不经意的时候，背后传来一声"××，不要偷懒啊"，叫人吓出一身冷汗。可再过一会儿又会发现，原来鸭舌帽下的汤导正在睡回笼觉。

从来到我身边的第一天起，汤导就几乎和我寸步不离。小到我平时训练前的准备活动，大到练技术甚至练身体，练完所有的项目，再到之后的放松运动，他都一直陪在我身边，好像从来就没有离开过我。他总是很主动地慢条斯理地问我：“你感觉今天怎么样啊？”他很喜欢找我聊天，让我把当天的体会说出来。

我一度非常依赖他，要是哪天训练中汤导因为身体不舒服没能来，我就觉得好像少了些什么。从信任到依赖，这是我跟之前所有教练从来没有过的。

我身边有很多教练，他们可能半年都不会来训练馆看一次训练。但是到了赛场上他照样会给你很多意见，你要怎样怎样。这样我会很不满意，因为我觉得他对这项运动一点都不负责任，因为他不是每天跟着我，他甚至都没有资格跟我讲这些。是这些天天陪着我的教练，他们才更有资格发言。至少他对这项运动的现状更了解，我佩服的是这样的教练。而有些教练都忘了社会在进步，这项运动也在随着世界的改变而进步。他不可能永远靠经验制胜，因为每一场比赛都是不一样的。

在还是运动员时，汤导就取得了不俗的成就。在执教中他经常会有他不同的看法和自己独有的体会。他的经历要比其他教练丰富很多。悉尼奥运会上，他凭借对印尼天王叶诚万的了解，帮助吉新鹏制定有效的战术，让他以“黑马”姿态一举夺冠。他也可以只用两年时间，将中国男双“点石成金”。最重要的，他是真正热爱这项运动的人。

汤导没有太多爱好，他不喜欢喝酒、唱歌、出去玩。有时间他宁可自己在房间里看电影、听音乐、摆弄他的音响。汤导有一套雅马哈音响，他最经典的形象，就是坐在客厅沙发上独自对着电视欣赏大片，把音量调大，任房间里“地动山摇”。他有一颗年轻奔放的心。

除此之外，他把时间都花在研究对手、看录像或是考虑下一阶段要给队员练什么上。对待事业，汤导非常非常用心。我敢说，目前为止没有任何一个教练能够和他相比，一个都没有。羽毛球就是他最大的爱好，他甚至很少跟我们提到他的儿女、家人，除非我们主动聊起。他跟你谈论的，几乎全都是羽毛球。说他是个“球痴”，一点也不为过。

我非常尊敬他，也是因为对一个年近古稀的人来说，这样不顾一切地继续为这项运动、为林丹、为中国男单牺牲自己的时间，用心投入，无法不让人动容。在北京奥运会上夺冠的那一刻，我像孩子一样地扑进他的怀里。因为，真正把我当自己孩子一样对待的，只有汤导。

汤导身体一直不太好，身边常备着各种药物。球馆里经常开着空调，汤导怕冷，会头痛。所以后来很多次在接受采访的时候，我都说对这样的教练，不能苛求他太多。他已经奉献出自己太多的时间，甚至是在拿生命为这项运动、为中国队付出。不能每次集训，都对他要求那么多。好像他的回归，就一定要帮助林丹去获得更多的冠军。我不想成为他的负担，他已经做到了他能做到的。

而我能为汤导做的，无非是集训的时候帮他去超市买他喜欢的矿泉水，送一箱到他房间。听说奇异果有助于睡眠后，我也买来让汤导试一试。从2007年至今，虽然每年他都会短暂地离开，但我们的合作非常愉快，也一起取得了非常多令人骄傲的成绩。2011年，当他举家从福州搬去东莞，开始负责李永波羽毛球学校的训练后，作为他的学生，我也为他感到高兴。人生中除了比赛，生活也很重要。我希望伦敦奥运会后，汤导可以过他自己的生活。他在东莞的家我也去参观过，有阳光、有植物，非常棒，很适合他。

02

我的兄弟小鲍

有一个人，我们两个就像两条相交的波谱线，时近时远，时亲时疏，但无论彼此未来的方向在哪里，都在对方人生中最重要的10年里留下过无法磨灭的印记。这个不可取代的人，就是我的兄弟鲍春来。

我们因羽毛球而相识，也一度因羽毛球而疏远。只有当我们之间不

•……… 2002年5月4日，中国羽毛球队在广州天河体育中心羽毛球馆备战汤尤杯。19岁的林丹和小鲍并肩训练，恰同学少年。©中体在线_郑迅摄

•········ 2006年10月21日，在中国羽毛球公开赛男单半决赛上，鲍春来2比1击败林丹。©东方IC

再只有比分、胜负后，才能回到当初最纯真的年代。我相信，它还是存在的，体育不该只有残酷。

鲍春来比我大八个月，但我们都叫他"小鲍"。15岁的林丹在八一队因为训练中发脾气摔拍子而受到停训20天的处罚，而身在长沙的鲍春来在湖南队是最听教练话的孩子，悟性最高、进步最快，最得教练赏识。

我们同一天到国家队报到，我们这一批里，到最后就只剩下我们两个人。我们一起战斗过，拿到了我们的第一个世界冠军——2004年的汤姆斯杯。我们也曾无数次隔网而立。有人说，鲍春来生在林丹的这个时代是个悲剧。我不喜欢甚至厌恶别人这样形容我们之间的关系。这样的表达，受伤害最大的是鲍春来。我始终觉得，我们俩都是中国队培养出来的，我们的枪口是一致对外的，而不是互相瞄准站在彼此身边的这一个。

很奇怪的是，到现在想起小鲍，首先浮现在我眼前的是我们小时候打一些类似天王挑战赛这样的比赛场景。比赛结束后，我们会用拿到的一点小奖金去吃麦当劳、肯德基，或者一起过星期天。

2000年，两个未满18岁的毛头小伙分别从福州和长沙来到北京。那一年，小鲍就已经是世青赛男单冠军了。有人觉得，鲍春来就是当年的赵剑华，左手、个子高、技术好。当时队里的很多教练都希望以他为重点来培养。可是谁能说，人一生下来就天生要被重点培养呢？我很平凡，但是我通过自己的努力，也在一点一点地证明自己。

教练对小鲍的偏爱并没有影响我们之间的关系。我们像两棵大树一样，互相鼓励、彼此扶持地一起成长。

有段时间，我们几乎形影不离。从进入国家一队开始，我们俩每次出去比赛都是住同一个房间。有时候去欧洲比赛，一些酒店的条件并不是特别好。欧洲的酒店房间都不算大，只有一张大床也是常有的事。这时候，我们俩就会睡在一起。

年轻人精力超好，我们通常都会睡得很晚，躺在一张床上聊天，什么都聊。聊得开心了，还会一起唱歌。那种默契就是，你前言不搭后语，但对方居然都懂。然后聊着聊着，也不知道几点了，房间里突然沉默了一会儿，其中一个就知道那是另一个已经睡着了。

第二天早上手机闹钟响了以后，我们必定是谁也不会主动把闹铃关掉。总是等到铃声停下来之后，再接着睡。其实我们俩当时都醒了，但没有一个人去管它，都在装睡。

那时候还没谢杏芳什么事，我和小鲍常会一起逛街。之所以常常是我们俩结伴，最主要的一点是，我们的饭量都非常大。在当时来讲，两人的胃都大得有点可怕，可能小鲍吃得比我还要多。

记得有一年汤杯，有一次我打完球回到房间已经很累了，连洗澡的力气都没有了，但还得去队医那里做治疗。等我再回来时，我的衣服竟然已经洗干净、晾好了。我睡觉不踏实、容易醒，每次出去比赛我午睡的时候，鲍春来就去练球。即使在房间里，他也什么都不做，不发出一点声音，就为了让我休息好。我们之间是不需要多说什么的。

小鲍的可爱之处有很多。我记得刚到国家队还住地下室的时候，我们一帮人有时会在一起看鬼片。当情节、画面越来越惊悚的时候，我的余光发现，鲍春来越来越往后退，然后人就不见了。等我再转过头来看他的时候，他已经抱着个枕头躲在后面。所以，大家那时候都会笑他，觉得他怎么这么胆小。

随着我们逐渐长大，很多球迷和媒体越来越关注我们之间的竞争。也因为这样的竞争，隔在中间的那张球网，有一段时间还真的让我们的关系有些扑朔迷离。

每个人都有自己追求的梦想，如果我们的梦想恰好是同一个目标的话，那一定会有一个人受伤。

2005年全运会夺冠后的新闻发布会上，有记者问我想对身边的鲍春来说点什么。那天我就说，胜负只是一线之间，是很细微的一些环节决定的，一定会有更多的冠军在等着他。

当时离北京奥运会还有三年时间，我特别对在场的所有媒体说：“我希望能和鲍春来一起充当中国男单的两把尖刀，分守在上下半区，再像今天一样会师决赛，那就是我最开心的事了。至于决赛，那是我们两个人之间的事。”

可惜，并没有多少人真的听进去这番话。有的时候，媒体常常把方向给搞错了。也是因为外界那些无止境的比较，在某种程度上将我们俩割裂开，演变成对立的关系，最后受伤害的是我们两个人。我们需要的是一起去征战世界的舞台，可是……这是最可惜的。

2006年夏天的马德里，当我第三次向世锦赛男单冠军发起冲击的时候，没想到，我预想的奥运会上的一幕提前上演了。

在马德里，我跟小鲍在决赛中大战三局，比赛的过程像极了那些年我们俩交战时的境遇。首局，他获胜，我一直处于追赶的状态；第二局，就在他离冠军点只差3分的时候，我抓住机会实现翻盘；最后的决胜局，我逆转取胜。

那天，最高兴的是李永波教练。他在央视解说这场比赛时说，中国男单这次战胜了所有主要的对手，包揽世锦赛男单冠亚季军在中国羽毛球队历史上还是第一次。那也称得上中国男单最鼎盛的时期。我以为，我们会像两辆战车一样齐头并进，直奔2008年的北京。

从2003年的城运会、2004年的全国锦标赛、2005年的全运会，一直到2006年的世锦赛，我们连续四年在大赛的决赛中遭遇。我的每一步成功，好像都是借着小鲍的肩膀。随着比赛的分量逐渐升级，我们之间的竞争也越发激烈和残酷。很遗憾的，随之而来的，两人曾经比较纯真的关系逐渐变得尴尬，最后慢慢疏远。

很多人会觉得这对小鲍来讲未免太残忍，那么多次大赛都输在了最后一口气上。但是大家别忘了，还有李宗伟。李宗伟失去的，相比之下只会让他更痛苦。2008年奥运会、2011年世锦赛，都是他更在乎的。他甚至连一个世界冠军的头衔都没有，有人封他是"败者为王"。他又该怎样呢？

虽然我的先天条件可能没有其他人好，但到最后，我也让大家看到了，林丹是有价值的。

有太多的舞台在决定着我们不同的命运。观众需要我们两个来做主角，但两个主角最终只有一个优胜者。我们俩各自本身就会受到很大的关注，再被推到一起非要分出个你死我活，就变得无法收场了。我只能用一句话来形容——这就是竞技体育。

北京奥运会把这样的残酷推向了最高潮。我和鲍春来如愿被分在了不同的半区。也就是说，我们在奥运赛场碰面的那一刻，就一定是决赛。然而，他爽约了。

当鲍春来再次出现在我们面前时，他已经把头发剃光了。削发明志，他这么做的原因，我们都懂。可是说实话，当时我挺难过的。我想说，作为一个真正的强者，有时候不需要太过在乎别人对你的看法，做好自己就可以了。像我2004年雅典奥运会后，也没有怎么样，照样开始训练、比赛，用成绩去证明"我还是可以的"，就行了。

小鲍给自己的压力太大了。当然会有太多的人关注他，但他这样我担心他有点承担不起。体育人需要有自己坚强的一面，我就是这样，这就是我。

从2008年到2012年的这四年，时间仿佛比以往跑得更快。随着伦敦奥运会的临近，我们这些队友有时也会聚在一起分析，还有没有机会参加世锦赛，有没有机会参加奥运会，甚至包括汤姆斯杯。很多时候我已经感觉到，中国男单没有办法继续保持北京奥运会的阵容，一定会有人先离开。

鲍春来宣布退出国家队的那一天，我们正在国外参加比赛。因为有了心理准备，那感觉就好像是，该来的还是来了。

他并没有马上离开，而是一点点地搬离了天坛公寓。当他在这片舞台上已经没有更多乐趣，也没有自己想要的价值的时候，就没有必要在一条路上把自己堵死。我支持他的决定。他最终离开，是因为伤心。但他还能在另外一片天地中，去展示他的才华。

将来有一天，我也会步他的后尘，离开这项运动，这是没有办法的。竞技体育永远只能容许强者生存，而不会体恤弱者，这也是它的魅力所在。到那时，我会为自己感到骄傲。这么多年我坚持下来了，并没有被年轻的运动员冲击掉，也没有被国际舞台淘汰掉。

小鲍过去的房间，现在留给了杜鹏宇。运动员就是这样，一代又一代，延绵不息。现在，小鲍到了新的环境，也有了自己的工作和安排。人生有时候就是这样，当我们终于可以抛开那些纷扰，坦诚相对的时候，两人的节奏却又对不上，反而很难凑到一起。

不过，听说他妈妈来北京动手术，有一次我提出跟小鲍一起回去看望他爸爸妈妈。我们一起在小鲍北京的家里吃了顿饭。

那天我吃得特别多，因为小鲍妈妈做的饭非常好吃。这又让我想起小时候我们两个“大胃王”。我还跟鲍妈妈讲，以后我没事，一定会来蹭饭吃的。

当输赢、胜负不再是我们之间的主题，我们俩好像又回到了刚来北京时的那段日子。天坛公寓门口，常会有粉丝守在那里，期待着与自己的偶像邂逅。这其中，鲍春来的球迷一定是最多的。我也常常会被球迷认出来，他们“林丹、林丹”地追着我，可等我停下来，十次总有七八次，对方会说：“林丹，我们很喜欢你。你能不能帮我把这封信（或是这个礼物）带给鲍春来？”

所以，一个运动员的价值最终不是以拥有多少金牌来衡量的，而是要看你在这个时代留下过什么。据我了解，无论是过去还是现在的中国羽毛球男单，还没有哪个运动员的球迷比鲍春来的还多。我觉得我的球迷应该也没他多。有这么多人喜欢他，一定是有原因的，这也是一种偶像的魅力。我觉得这就很了不起，也是我望尘莫及的。

在这里，我想告诉年轻的朋友们：任何时候不要去怀疑自己，或是羡慕别人。做好自己，全力以赴地把握好每一天，不要太计较最终的结果。这个过程只是迟早和长短而已，最终都会有属于自己的天地和展现自己价值的一天。

2012年小鲍过生日的时候，他正式加盟《我是冒险王》节目担任主持人。我因为在外比赛，没能去现场，只能送上视频祝福。我对他说："所有的队员都很想念你。虽然你离开了羽毛球，但希望在另外一个领域里，能看到你的新作品。我们都很期待，希望你一切顺利。"

以前，我们之间是隔了一张球网。后来，我们中间又隔了电视屏幕。见面的方式更多的是我做观众，坐在电视机前看他的节目。他参加湖南卫视的《天声一队》时我也看到了，作为一个运动员，他的歌唱得相当不错。

要是小鲍说他唱歌在羽毛球队能排第二，就没人敢说第一。以前我们去KTV，他唱得最多的是陶喆、王力宏的歌，几乎都不用看歌词。每次队内春晚或者是歌唱比赛，我也只能领到类似"最佳着装奖"这样的安慰奖。他才是羽毛球队的K歌之王。

现在我很高兴，不再只是我们队友知道他有这些才艺，而是有更多的人来欣赏。我也知道，在另一条跑道上，一切都要从零开始，世界冠军也变成了新人，这是需要勇气和忍耐的。

我时常也在想，将来有机会，我一定会去上他的节目。毕竟我们曾经并肩过，他永远都是我的兄弟。

03

陶菲克：一辈子的对手，一生的朋友

陶菲克，国际羽坛的一朵奇葩，他的打法和气质都透着神秘和诡异，他的陶氏风格更是变幻莫测、流水无形。

他16岁出道，19岁以头号种子的身份出战悉尼奥运会，24岁成为世界羽坛男单运动员中第一位集奥运会、世锦赛、汤姆斯杯和亚运会冠军于一身的大满贯球员。

2012年，他31岁，是一双儿女的父亲，他将第四次踏上奥运赛场。15年中，他一度是我超越的目标，也是媒体曾经拿来揶揄我的标杆。他是我一辈子的对手，却一定是一生的朋友。

我与陶菲克的故事，有太多时候都是媒体在煽风点火。好在我们谁都不在乎这些。有人说我和陶菲克的"恩怨"是始于雅典奥运会，我要告诉大家的是：在现场目睹陶菲克拿下奥运冠军喜极而泣的一幕后，我跟教练说我要换W700的球拍——也就是陶菲克夺冠时所用的那把球拍。

我很少主动更换球拍，那是我至今唯一一次主动换球拍。因为我觉得原来的拍子没能给我带来什么好运气，而在那时的我看来，陶菲克手上的那把球拍是当时世界上最好用的球拍。也是那把球拍，我之后一直用了四年，伴随我走到了2008年的北京奥运会。

在雅典，陶菲克的每一场球我都看了。因为我早早地出局，要给队友摄像嘛。我看着他从8进4、4进2，一直到决赛。一场场比赛，一轮轮关卡，他越打越好，潇洒自如。那种标志性的"陶氏"打法让人赏心悦目，包括身为对手的我都为他折服。

在跻身男单前八后，我记得陶菲克在接受采访时，就讲这次奥运会冠军一定是他的。他就敢这么说，而且最终冠军也确实属于他。他当时说："历届奥运会男单冠军都是被二流选手拿到，都不属于最顶尖的选手。这次我要打破这个定律，就是我拿冠军。"这样的王者之气，贯穿了他整个职业生涯。

悉尼奥运会时，19岁的陶菲克就以头号种子的身份出战，结果1/4决赛中负于后来夺冠的吉新鹏。四年后到了雅典，他一雪前耻。

有时候，我会从他身上看到自己的影子。除了相似的经历，我们都还有媒体喜欢说的所谓潇洒、不羁和狂放。

也正是从2004年雅典奥运会之后，媒体开始经常拿我们两个说事。一个是奥运冠军，一个是世界排名第一，不制造点火花出来，似乎就对不起自己。

现在想来，我也挺感谢有这样一个对手，有这么多关注我们的媒体和球迷。我每前进一步，过程中都少不了陶菲克的刺激或者说挑衅，他确实影响着我。

比如，很多人拿我和他比较的时候，陶菲克会说："他还没有拿过单项世界冠军。"下一次，陶菲克又会说："他还没有拿过奥运会冠军。"再过几年，陶菲克又说："他还没有拿过亚运会冠军，他只是世界第一。"所以，他的只言片语让我更加努力，我只有不断前进，才能让我的对手心服口服。

也许陶菲克只是想堵住媒体的嘴，也许他也没想到林丹后来会拿到那么多有分量的冠军头衔。但是对于刚刚经历了雅典奥运会失利的那个林丹来说，我会自省——我当时还只有一个2004年的汤姆斯杯团体冠军，而陶菲克手上很多都是更能体现个人能力的单项世界冠军。这是我身为男单选手无法回避的现实。

2005年世锦赛在美国的阿纳海姆举行，我迎来了一次与陶菲克正面交锋的机会。虽然在当年早些时候的苏迪曼杯决赛上，我以2比0赢了陶菲克，也帮中国队夺回了失去的苏杯，但那毕竟是团体赛。

那次世锦赛，我看到陶菲克半决赛战胜李宗伟，或是之前赢文萨，发现他当时的状态非常好。但那个时候，他还没有真正震慑到我，因为那是我们第一次在大赛决赛中交手，有点无知者无畏吧。

可是，当他决赛中送给我一个13比0的开局后，我才发现，我的对手非常强大。我发现在我犯错以后，他会抓住我的错误，不断地拿分、拿分。而且在场上，我特别无助，没有更好的办法去对付他。直到第二局有一小段时间，我取得了一点点领先，不过很快一个小小的错误一犯，对手把比分追平以后，这场比赛的主动权就又交到了陶菲克手里。

直到我真的经历过以后，我才知道陶菲克的强大不仅仅是在技术层面，而且在于他很会把控赛场的一种能力。在他有优势的情境下，他会不计代价地把优势扩大，直到比赛结束。因为我发现他打得比我还拼，进攻、进攻、抢网、进攻……

那样的比分，让我感到极度羞愧。那时候，我的实力还没到那份上，名气倒先起来了。所以，虽然有很多人关注我，但也有很多人在等着看我的笑话。那次惨败给陶菲克之后，很多媒体开始对我口诛笔伐。

而今天，很多人觉得林丹拥有16个世界冠军在手，到伦敦奥运会时是不是会实现17个？他们总觉得这是很正常的数字增长。他们一定不知道，在这过程中，我付出了多少代价。

阿纳海姆世锦赛一年后的多哈亚运会上，我是当年世锦赛的新科男单冠军，可我这次还是栽在了陶菲克手里。

亚运会团体赛中，我又两次赢了陶菲克。到了男单决赛，又是我们俩交手。等于一个星期里，我和陶菲克就打了三场球。这时，我又陷入了与2005年世锦赛类似的情境中，我不断地暗示自己："我只要这样做，就应该可以战胜他。"

但是，决赛的那场球，他的发挥还是超出了我的预判。我感觉到他打得特别拼，而且很用心。不像团体赛的时候，当他遇到困难就会很快放弃，会犯错，留给我机会。多哈亚运会的男单决赛，他几乎不给我机会，两局就把我赢了，而且第二局我还领先拿到过局点，但最终也没能拿下。

就这样，从2004年雅典奥运会、2005年世锦赛夺冠，到2006年多哈亚运会卫冕，我亲眼见证了陶菲克如何一步步走向辉煌，从某种程度上来说，也是我亲手成全了他。

经历了连续三年大赛中的失手，我又重新开始思考。我相信，像陶菲克这样的运动员，经历了那么多，他到决赛中的表现一定是不一样的。陶菲克是我见过的所有男单运动员里最大气的一个。陶菲克的性格可以说是与生俱来的，但最重要的是，他经历过很多，拿到过很多顶级赛事的冠军。那是一种由内而外散发出来的气场，很多东西他甚至不屑一顾。

有媒体曾经这样形容印尼的这位羽球天王："印尼10年出一个羽毛球天才，但100年才出一个帅哥级的羽毛球天才。他（陶菲克）的手上感觉可谓无与伦比，中场截击犹如千手观音。但受制于他的体能，他在近两年的状态一直在走下坡路。也许是天才总是散漫的原因，陶菲克在场上也常是一副心不在焉的样子，不过他一旦认真起来，就能摧毁一切。"

陶菲克一向我行我素，时而游戏散漫，时而又锱铢必较。他可以这站大奖赛刚拿下冠军，下一站又可能首轮出局。可以说，不潇洒，不陶菲。

你看2012年全英赛，陶菲克和陈金交手的那场球。他不但杀球，还飞身救球，到最后陈金都杀不死他了。我多少年没见过陶菲克挑完一拍以后扣杀，飞出去后起来再来的场面了。所以陈金输得不冤，他确实打得太拼了。而且他的每一记杀球都非常挫伤你的自信心，几乎都是压线。他的聪明之处还在于，如果和陈金硬拼的话，他可能没有那么好的体能，所以在突击得到一分后，他就休息、擦汗、调整，这时候陈金追上来几分，他再想办法突击，再抓分。这就是陶菲克，也是我最尊重的一位对手。只要是为了自己的目标，他就会全力以赴地跟你玩命。一切尽在他的掌握，他有他的性格。

全英赛算得上陶菲克心头的"朱砂痣"，也是他职业生涯仅有的遗憾。因其超过百年历史的地位，全英赛素有"小世锦赛"之称。在2005年成就大满贯后，陶菲克就说全英是他的下一个目标。这些年来，哪怕在赛场上已不复当年勇，陶菲克也从未放弃过追逐。

2012年全英公开赛，我们再次相遇在1/4决赛。比赛以我2比0胜出而告终。在赛后的混合采访区里，我们恰好同时接受完采访，然后相视一笑，给了对方一个拥抱。很多媒体"抱怨"没能抓拍到这一刻，他们没

•………2011年11月11日，在羽毛球四大天王争霸赛半决赛中，林丹2比0击败陶菲克，图为赛后林丹和陶菲克握手。©东方IC

想到这样的一幕也会发生在我们俩身上。过去陶菲克总说“我跟林丹没有什么，只是语言不通”。而到了后来，我们发现真诚是最好的交流。这个拥抱对我们来说，胜过千言万语。它比球场上礼节性的拥抱更多了一层默契，令我倍感珍惜。

我和陶菲克本身并不是同一个年龄段的选手，再加上他出道非常早，很早就拥有了无数的荣誉，所以在2006年多哈亚运会后，他的状态就是——拿再多的冠军也就这样。我当然希望能够在大赛的决赛中再与他好好地打上一场，可2006年之后，我们相遇的场合更多的是一些公开赛、大奖赛了。

我觉得非常幸运，能够在成长的道路上遇到他。有一个这么棒的对手来激励我、帮助我提高自己，并不是谁都能有这样的机会的。将来有一天（也许是在我30岁后），当我的竞技状态不再像四五年前那么鼎盛时，也会有更年轻的运动员来向我挑战。这也让我更珍惜现在和这些高手交手的机会，这样的比赛一定是打一次少一次。很多时候，我们之间的交手已经超出了胜负本身，反而更享受每一个球的过程，就当是给自己，也给对方将来留下更多的回忆吧。

2011年11月11日，网友戏称的“神棍节”对我们来说，却代表了四个

•……… 2011年11月11日，羽毛球四大天王争霸赛在东莞结束。中国选手林丹在决赛中以2比1战胜马来西亚名将李宗伟荣登"王中王"宝座。©中体在线_郑迅摄

“一”——陶菲克、李宗伟、盖德和我受邀来到东莞，参加“四大天王”争霸赛[1]。

在拼杀、打斗了十多年后，我们四个人以这样的方式聚在一起还是第一次。抽签再次把我和陶菲克抽到了一起，这大概是球迷朋友，特别是东莞当地的球迷们最希望看到的。我自己也很开心。如果我们的作用不仅仅局限在球场上，而是能给很多人带去一整天的快乐和一段难忘的回忆，我们会很知足。

这样的机会并不多。2009年瑞士公开赛期间，在赞助商的安排下，陶菲克、李宗伟还有我，我们三个一起吃了顿饭。地点选在了当地的中餐馆，菜品只能算过得去，但大家都很开心。

瑞士公开赛比赛的分量也不是有多重，我们可以很轻松地在一起聊天，那个状态下的我们才是真正的享受，没有任何压力，只是吃饭聊天。聊着聊着就突然发现，2004年早已过去，2008奥运会也打完了，又一个四年过去了，大家都还在这里。那一刻，心中会涌上一股“人生得一知己足矣”的感觉。

而且在聊天中，我们发现全世界的羽毛球男单选手都有一个共同点，就是都很喜欢跑车。一聊到车，三个人都很兴奋。我去印尼的时候，见过陶菲克的那辆法拉利，我觉得很适合他。而我跟李宗伟开的竟是同一款G-TR，他的是灰色的，我的则是黑色的。陶菲克说，现在羽毛球运动员里赚钱最多的应该是我。我告诉他，其实在中国赚钱并不是很容易，不像在印尼，羽毛球是国球，而且运动员相对自由，也更职业。也正是那一次，我跟他们说：“将来欢迎你们来中国打联赛，你们在中国都有非常多的球迷。”

没想到很快，两年后他们就加盟了广州恒大俱乐部，虽然只打了两场球，但却是轰动全城，甚至全中国。他们配得上这样的爱戴。

---

1 “四大天王”争霸赛是为中国国家羽毛球队训练基地暨李永波羽毛球学校落成而举办的一场邀请赛，邀请了林丹、陶菲克、李宗伟、盖德这四位10年来羽坛最具影响力的男单高手参加，冠军奖金高达100万元人民币，亚军和四强分别为40万、20万。

当然，我很羡慕陶菲克的一点是，他的球迷都非常死忠，包括马来西亚的球迷对李宗伟也是。我们去这些地方比赛，主场球迷一定是为东道主选手加油的。相对来说，中国的球迷则更博爱，站在谁一边的都有。这是我们在印尼、马来西亚享受不到的待遇。

这对羽毛球运动而言自然是好事。只要球迷是真诚的，只要我跟对手打了一场精彩的比赛，他们给任何人鼓掌都可以，不一定非得做我的球迷。

如今，陶菲克已经是两个孩子的父亲，他又领先了我们一步。羽毛球带给他的一切，他早就悉数偿还，只多不少。30岁以后，陶菲克依然还留在球场上，是这个时代的幸运。我也曾跟他说，如果将来他带家人来中国游玩，一定要联系我，让我尽一尽自己的地主之谊。如果我去印尼，我也不会跟他客气。十多年来，我们已经经历了太多，真的不需要再去计较输赢了。职业生涯中，我们无可避免地做了这么多年对手后，难道就不能做一辈子的朋友吗？

04

“挚爱林丹，完美待续”

12年国手生涯，不仅我的教练、我的对手教会了我很多，一路伴随我走到今天的丹迷们，更是给予了我这世上最珍贵的东西。

刚进国家队的时候，还没有微博，甚至还没有手机。每次在天坛公寓传达室的桌上发现“中国羽毛球队林丹收”的信件，都能高兴上好一阵子。那时候每封信我都会拆开看，然后用鞋盒一封封地装好。现在想来，这样古朴的方式，传递的才是最珍贵的情谊。

曾经，我经常在赛场遇到这样的球迷——他们会拉住我，让我帮忙

●……… 2009年10月14日，球迷们在青岛为林丹精心准备了生日会。©林丹全国球迷会

转交信件或是礼物给小鲍，他们用一种非常虔诚的眼神看着你说“帮帮我吧”。他们忘了，我可能也会吃醋，也会心里不舒服。但是球迷都是很单纯的，小鲍也是我非常好的队友，事实上我都出色地完成了“邮差”的使命。久而久之，随着我在国际赛场的表现越来越好，写信给我的球迷也越来越多。公寓里的鞋盒越堆越高，后来这些信件连抽屉里都塞满了。虽然传达室里，给小鲍的信永远是最多的，但每次能收到球迷给我的信，我依然会感到小小的满足。

在这些丹迷中，有一部分是与我同龄的人，他们几乎陪着我一道成长。他们不只是欣赏我的球技，收集我的比赛信息，他们甚至感受着我的喜怒哀乐，他们是真正“看着我成长”的一群人。在彼此人生中最美好的10年里，我是多么幸运地得到了他们的眷顾。为了我，他们放下自己，因为我的每一次成功，他们奔走相告、欢呼雀跃；因为我的失意伤心，他们感同身受、黯然神伤。这是我的幸运。

我一直很想见见他们，看看他们是怎样可爱的一群人，直到2007年我生日那天。那次，大家帮我办了一场生日会，听说林丹全国球迷会的会长也会来。我早就听说过她，但从没见过面，甚至没有直接沟通过。当时她还是北京师范大学的一名学生。就是这样的素昧平生，但是她却

•……… 2010年北京生日会，由1014（寓意林丹生日10月14日）张丹迷照片组成的巨大画框，是丹迷送给林丹的生日礼物，现在还挂在林丹家里。©林丹全国球迷会

拿出自己的课余时间，帮我把球迷会的工作打理得井井有条。

他们中的很多人都说，是靠着我的鼓励，才闯过了学业、工作和生活中的各种关卡。如果真如他们说的那样，我会非常欣慰。人生路上，比奥运会、比高考更严酷的考验还有很多。庆幸的是，我们彼此都从对方那里得到了无穷的力量。

在那以后，我陆陆续续地见过不少“丹迷”。不管他们来自哪里，做着什么样的工作，我总有一见如故的感觉。他们中有的是我的前辈，有些比我还小，特别是一些学生，非常单纯。只要我有时间，总是尽可能地满足他们的愿望。都是一些很小的事情，比如寄照片给他们，还有纪念T恤、LD的纪念服饰等。想象着他们拿在手中的那种欣喜，我也会感到开心。这是我们之间的一种感情。

人与人之间，需要一点真诚。这么多年走过来，无论是曾经支持我，还是不看好我，这都不要紧，每个人都有自己选择的权利。但是对我自己来说，无论是对我好的，还是攻击我的人，都在让我成长。我需要这样的环境，让自己成熟起来，让自己变得更坚强。

尤其是2008年北京奥运会的决赛场上，我非常感谢当天晚上从世界各地赶来为林丹加油的所有球迷。除了北京工业大学体育馆里的8000多名球迷，还有电视机前无数为我祝福的人。在他们的欢呼声中，我也在感受着作为一个运动员的存在价值。我把我的球衣、球拍甚至球鞋都送给了他们。后来有朋友问我：“你当时为什么要扔球拍？其实这些东西你可以留着自己珍藏，或者将来拍卖。”但我觉得，这个真的无所谓，这些东西对我不是不重要，但它只是我职业生涯中的一部分。那是我对球迷的一种感激。这真的没什么。

2011年苏迪曼杯夺冠后，湖南卫视《背后的故事》栏目来到国家羽毛球队青岛集训基地录制节目。那期节目的主角是我们的李永波教练，我们去现场本来只是当后援团。结果，突然有球迷说有样东西要送给林丹。那是一件T恤，上面写了一个“十”，记录了10年间我们共同经历的大赛，一起拿到的冠军。他们说：“你打了10年比赛，我们也陪你走过了10年，

●……… 2011年7月，林丹穿着球迷特制的T恤，和中国羽毛球队一起做客湖南卫视《背后的故事》栏目。©林丹全国球迷会

●……… 2012年5月，武汉汤姆斯杯上的丹迷助威团身穿LD的主题T恤“全满贯期待伦敦”，一起为林丹加油助威。©林丹全国球迷会

●……… 2011年的生日会，礼物大丰收。©林丹全国球迷会

而且还会有将来的下一个10年。”我当时很意外，也很惊讶。因为球迷真的很用心。10年来，虽然我打出过很多好球，但依然有人对我不满，指指点点。与此同时，却有这样一群球迷，这样的爱护我、支持我。我知道，每一次出发，我并不是一个人在战斗。除了家人以外，我最愿意把心交付给的人就是我的球迷。

也正是从那以后，“挚爱林丹，完美待续”成为林丹全国球迷会的口号。他们制作了一面巨大的横幅，随我南征北战，走过了不少地方。2012年在武汉举行的汤尤杯上，球迷会再次自发地组织了不少丹迷前来为我助阵。我给他们送去了一些全满贯纪念T恤，我们约定好每场比赛都要穿，这样我就能很容易地看到他们。

我做这些，只是希望让他们感受到，他们喜欢的林丹离他们并不远。如果你是丹迷，当你看到这里时，我要告诉你们：千万不要忘了，我也是一个普通人，我并不是高高在上的全满贯、所谓的外星人，我只是个普通的小伙子。通过自己的努力和坚持，是可以做到让别人刮目相看的。我们都很平凡，但是我们可以做成一些不平凡的事。

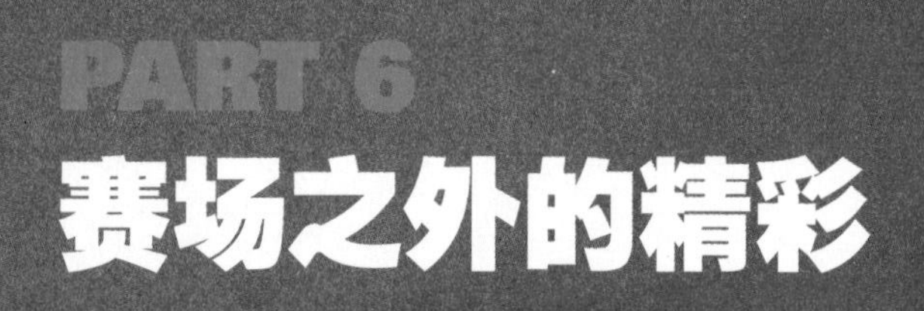
PART 6
赛场之外的精彩

图片©东风雪铁龙

01

这些年，那些城

丹麦·童话没有完结篇

我无法断言究竟有没有传说中的世界末日。但时间来到2012年，我们真的走到了各自职业生涯的最后几年。这样的现实，让人需要拿出更大的勇气来面对。第一个说要离开的，是我年少时的偶像——“丹麦金童”皮特·盖德。年初在伯明翰，他向我发出邀请，说他将在2012年12月的丹麦精英赛后宣布退役。在告别赛上，他只邀请了我，没有邀请李宗伟，也没有邀请陶菲克，这是我的荣幸。那么，让我再去看看哥本哈根，带着不一样的心情，为我的前辈送上最后一程。

一头金发、飘逸的球风、坚毅的性格、灿烂的笑容，这是盖德留在球迷心中永恒的画面，也包括我。即便他已经35岁，人们还是愿意称他“丹麦金童”。这世界上不会再有第二个盖德。

他21岁就世界排名第一，差不多有15年他都保持着男子单打的顶尖水平，这不是随便哪个运动员能做到的，包括我、陶菲克、李宗伟，没有谁敢保证我们35岁时还能有盖德这样的竞技状态。

在实现全满贯之后，我曾经把成为盖德那样的选手、一直打到35岁作为我的目标。但后来我发现，那真的只能是我的一个理想。

中国的国情不一样，中国需要不断地培养年轻的冠军。而我的竞技状态随着年龄增长，一定会越来越差，也会开始有心无力。如果在未来的日子里，我不能胜任队伍的重要位置，完成不了重大赛事夺冠任务的话，我一定要给更多的年轻人让路。

在一切以夺冠为前提的大环境下，不要说队伍是否同意，可能我自己都过不了自己这一关。我会问自己：为什么不给这么多年轻人机会？他们那么努力，他们需要舞台。如果我始终占着这个位置，却又没有华丽表现的话，我只能选择退出。

我不知道12月的哥本哈根会是怎样的一幅景象。每年我们全世界地飞，去过那么多国家、那么多城市，却还从来没有停下脚步好好地欣赏过它们。在欧洲，唯独丹麦令我情有独钟，而且那里也是谢杏芳所喜欢的。

如同我们小时候读到的丹麦童话一样，在这个国家，走到哪里都是一幅画。它和法国巴黎的艺术、浪漫气息不同，这里可以没有很棒的酒店，没有繁华的百货公司，有的只是自然而然散发出的一种优雅、经典的美。就像这15年来盖德在世界羽坛留下的隽永故事一样。

盖德跟马丁[1]曾分列男女单打世界第一，被称为“金童玉女”。他们有过轰轰烈烈的爱情，但是2004年盖德升级当上爸爸时，孩子的母亲却不是马丁，而是他在医院进行膝盖手术期间，同一病房的病友霍格的女儿、丹麦著名手球运动员卡米拉·霍格。每年丹麦公开赛，卡米拉都会带着两个女儿去现场观看盖德的比赛。当人们都还在羡慕这幸福的一家子时，2011年中国公开赛期间，盖德却坦率地承认：“我离婚了，这不是秘密。”我也是通过媒体才知道了这个消息。但是，我甚至察觉不到生活的种种变故给一个35岁的男人带去了什么。除了脸上多了些岁月的痕迹，我们认识的盖德，似乎15年未变。就算童话会结束，盖德还是盖德。

1　丹麦著名女子羽毛球单打运动员，曾排名世界第一，并获得1999年世锦赛女单冠军、2000年悉尼奥运会女单亚军。

●……… 写真照。

生命就是一场与自己的赛跑，即便最后总要跌倒，也要留给世间一个美丽的姿态。世界羽坛应该感谢盖德，而我们也要感谢还能赶上盖德的这个时代。多少次，他在一场场看起来必然会失败的战斗中没有畏缩，没有懦弱，没有害怕，哪怕用尽最后一丝气力也要阻止对方顺利得分。我想，对于这样的运动员，连他的对手也会为他起立鼓掌。他配得上“伟大”。

曾经有人问我，如果我拥有超能力，能回到过去，我最想改变一件什么事。我的回答是“没有”。我不想回去，因为我不需要改变。想穿越回去，只能说明你有太强太多的欲望。有些事情一开始看似不好，但经过很长时间，没准也能变成好事。人生不可能如你所愿，总是那么顺利，起伏、坎坷才是人生的常态。那很真实，岂不是很好？

好在我们还会在伦敦相见。对于我们这一代男子单打来说，这就是最后的狂欢。打一场少一场的现实，让我们分外看重彼此的情谊，而无关胜负。

日本 · 漫画中走来

如果有一天像盖德一样走到了职业生涯的终点，我也会带着我的家人一起旅行。而首选，一定是日本。

东京也许是全世界平均步伐最快、最忙碌的城市，但每年参加日本公开赛，那里的整洁有序令人印象深刻。这是一个传统与现代和谐共存的国度。那里的漫画、音乐、设计、美食走在世界前列，尤其是它的设计令我着迷。有一年在东京闲逛的时候，我在街头的第一家店就买了两个包。同去的朋友说：“后面还有整整一条街呢。”我跟他说：“我怕现在不买，等我回来就没有了。”确实，东京就是能够征服像我这么挑剔的人。

每次到日本，小到一碗拉面或是超市里新鲜的生鱼片，好像就没有不好吃的，让我永远停不下来。我见过电影《头文字D》《非诚勿扰》里的日本，也亲身感受过东京的繁华、仙台的悠闲和北海道的宁静。希望将来我能有充足的时间慢慢走，慢慢看。一年四季，春天能赏樱，夏天去看海，秋天看红叶，冬天去滑雪。

2006年汤尤杯在日本仙台举行的时候，只短短一周时间，就让我喜欢上了这座小城。它不像东京那么喧闹、繁华，整个城市就像小时候看到的漫画《机器猫》里的一样，都是自己家盖的小房子，院子里种满花草，街道并不宽，但特别干净，很棒的感觉。我记得，很多队友都很喜欢那里，于是我们往返赛场没有像以前那样乘赛会的大巴，而是选择了自己乘地铁，只为了与这座城市多亲近亲近。很遗憾的是，仙台在2011年的日本大地震中遭到了破坏，我常跟身边的人说，我们有幸曾见过仙台的美。有机会，我一定要再找时间回去看看。

香港 · 不夜城

很多人知道，中国有支"明星羽毛球队"。田震、曹颖、毛宁、林依轮、刘晓庆等都是羽毛球的狂热爱好者。他们不是简单的以球会友，而是挺正式的，每周都会组织一次训练。他们已经把羽毛球当作他们减压、健身的首选了。

在我认识的圈外朋友中，羽毛球似乎是最受欢迎的运动。每年香港公开赛期间，都会有不少娱乐明星前来捧场。其中，叶倩文几乎每年都是座上宾。她不是普通的球迷，平日里她自己也常打羽毛球，水平都能算得上半专业了。她对羽毛球的热衷早就不是新闻了。李宗伟跟她也很熟，这让叶倩文在马来西亚也非常受欢迎。听说叶倩文平时打双打比较多，2005年世锦赛的男双冠军白国豪 也是她的球友。

而在2008年北京奥运会前夕，香港TVB著名主持人郑裕玲还曾专程到北京来采访我和谢杏芳，当时我们聊得非常愉快。非常戏剧性的是，奥运期间我跟阿芳有一天去国际广播中心接受央视的专访，碰巧TVB的演播室就在旁边，他们的工作人员认出我们，就邀请我们去做节目。当天负责临时专访的，恰好就是郑裕玲。那天古巨基是他们的嘉宾主持。访谈结束后，古巨基跟我交换了电话，约好他来北京就找我们，我们去香港就联系他。

•……… 2006年林丹到访上海，在金茂大厦留影。©郭晓阳

•……… 2011年8月，和队友们一起参观伦敦塔桥和格林威治天文台。

•……… 2008年11月28日，香港羽毛球超级赛在香港伊丽莎白体育馆进行了第四日的比赛。中国选手林丹战胜对手晋级四强，林丹的好友古巨基前来祝贺。©中体在线_倪敏哲摄

我们比赛期间，时间安排都比较紧凑。结果那年的香港公开赛上，古巨基主动来赛场找我们，还约好比赛结束后一起去周慧敏开的台球馆玩。也许是受了电视剧的影响，我们都以为古巨基会是"书桓"那种深情款款的忧郁型男生，没想到完全不一样。更意外的是，别看周慧敏身材很纤瘦，但是台球打得很不错。那天，我们还组队切磋了一下。不过，我的粤语水平只有"半桶水"，阿芳跟他们聊天时都会说普通话。大家一见如故，我还说以后到香港又多了一个落脚点。后来，古巨基再来北京，我们都改吃饭为打羽毛球了。看得出，他挺有运动天赋的。

香港是个藏龙卧虎的地方。我们比赛时常去的一家火锅店，听说老板参演过电影《门徒》，虽然只有一句台词，但却是个挺有亮点的警察角色。为此，我回来后还特地把电影又翻出来看了一遍。

因为跟不少娱乐明星私交都还不错，我也知道各行有各行的不易。很多人知道我是"歌神"张学友的歌迷。有一年《雪狼湖》巡演的最后一场，我和他还在后台有过短暂的交流。我常想，这样的"歌神"多少年才会出一个呢？

体育界也有不少运动员退役后跨界发展的例子，但真正成功的却不多。羽毛球队多才多艺者不在少数，光是看每年的队内春晚就知道了。

●……… 林丹与张学友。

●……… 2011年9月林丹与杨澜、徐克、张博。

●……… 林丹与陈奕迅。

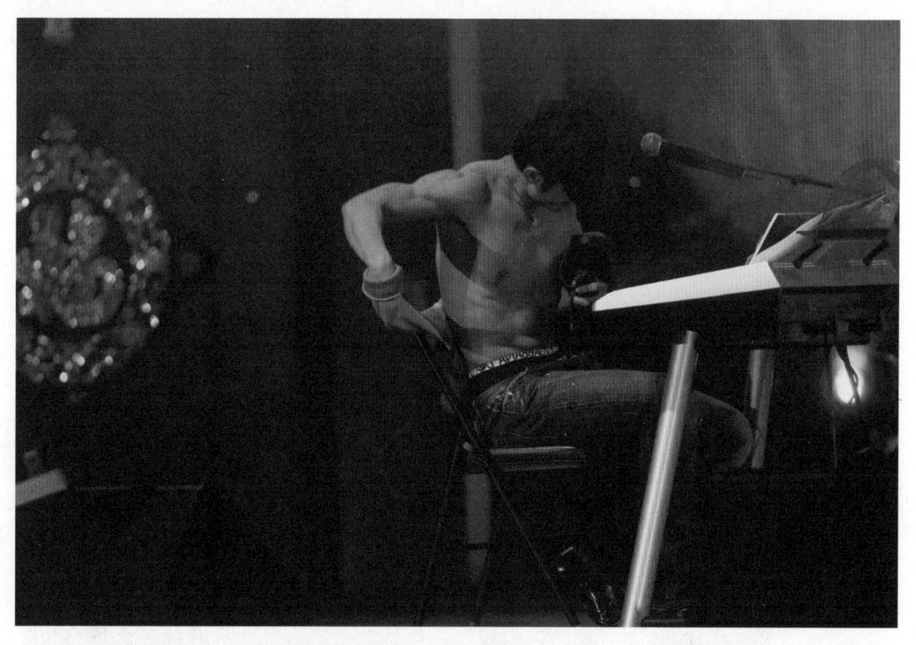

●……… 2009年1月23日，中国羽毛球队在国家体育总局训练局羽毛球馆举行迎新春联欢会。图为林丹激情演唱。©中体在线_安灵均摄

●……… 2011年5月，付海峰、鲍春来、林丹三名大帅哥一同录制苏迪曼杯开幕式歌曲。©东方IC

我也曾零星地学过一些舞蹈、打鼓，但实在没时间，只能作个兴趣。

2012年年初，一个难得的机会，我跟零点乐队主唱周晓鸥合作了一首《热力战放》献给球迷。这首歌写得非常好，羽毛球运动正需要这样的励志歌曲。不过这首歌的调有点高，录的时候我对自己还不是特别有信心，比我打比赛时可紧张多了。不过，投入进去后，每次唱到副歌部分，真会让人有一种马上拿起球拍上场的冲动。我一直在等待这样一首合适的歌曲。这是我在赛场之外，给球迷的最特别的一份礼物，也终于完成了我的一个心愿。

02
赛场·人生·LD

北京奥运会前，我在球包上征集全队签名，给自己打气。那以后，我就经常在球鞋、球包上涂鸦，写一些鼓励自己的话，或是画上类似变形金刚的脸谱，我把它们视作一件件艺术品。其中，我的签名缩写“LD”是必不可少的元素，这成了我的一个标志。我还把奥运夺冠的纪念日8月17号用到了我的车牌“LD0817”里。我希望“LD”能成为一种精神、一种文化。终于，2009年，以我名字命名的LD运动休闲系列服装问世了。

当初这只是一个很单纯的念头。和很多年轻人一样，我也喜欢逛街。但是对年轻人来说，他们一方面需要表达青春时尚，另一方面又收入有限，有些品牌离他们太遥远了。我希望能创立自己的品牌，让更多的年轻人伸手即可触摸到时尚。林丹的名字缩写“LD”配上王冠的logo设计，是我与德国设计师KD Waltner反复商讨后的作品。中国运动员很难有机会有一个属于自己的品牌，这比我拿到冠军还要让我开心。

时尚是种生活态度，是不在乎今年的潮流是什么，去年又流行过什么。能展现出最好的自己就是时尚。我希望的“LD”很硬朗、很男人。年轻的这一代都很自我、很自信，我希望我的“LD”系列能让他们展现出最好的一面，无论是工作还是生活中，都让他们觉得今天状态很好。每一季的新品，我都与设计师交流过。感觉找对了，能量是无穷的。

2011年我拿下第15个世界冠军，超越师姐高崚成为中国羽坛第一人。我在球鞋上画上“15”的记号，激励自己继续前进。2012年的伦敦是我的卫冕之战。作为这个星球上唯一的羽毛球“全满贯”，自然是要走过不平凡的一年。“全满贯期待伦敦”的纪念T恤代表的就是我的态度。

●……… 林丹亲身示范LD潮牌服饰。©李宁（中国）

•……… 潮味十足的LD品牌logo是林丹和德国设计师共同创意设计的。

•……… 林丹的涂鸦。

这就是你们认识的林丹，有自我个性的、勇于展现自己的林丹，自信但不张狂。我希望人们看到的不只是赛场上所向披靡的林丹，而是更能认同“LD”的精神。它不仅是年轻一代天不怕地不怕的勇气，更要传递一种力量——赛场小人生，人生大赛场，越是在大的困难面前，越是要抬头迎击。

很多人也许不太了解羽毛球。其实它每一场比赛消耗的体能和要求的精力，和很多项目完全不一样。特别是男子单打，非常辛苦。有时大家看到一个很不起眼的世界排名前32甚至64位的某个选手，可能会跟你苦战60分钟、80分钟甚至100分钟。这就是男子单打，每一场球都可能让你的体能达到极限。所以，每年那么多比赛，如果每一次都要求我进决赛，那几乎是不可能的事情。

我在过去12年的职业生涯中，已尽可能把我最好的竞技状态呈现了出来。很多人希望我能继续刷新纪录。但也有很多球迷说，只要我能站在伦敦奥运会的赛场上，他们就很满足了。至少对现在的我来说，我根本不惧怕失败。只要我还打下去，对很多年轻人就是一种鼓励。一个运动员这辈子，没有几次能代表祖国参加奥运会。我格外地珍惜，奥运会很神圣，但不是人生的终点。

赢了，那不是我的最辉煌；输了，也不会是我的最低谷。我想球迷们关注林丹，不会只是为了看他再拿一次奥运会冠军。

我反而更看重的是四次站上世锦赛男单冠军的领奖台。它是一个标准——成为羽毛球世界冠军，是我从小从事这项运动的终极目标。

我特别不愿意被人误解为，只要林丹想赢的比赛，就一定能赢，只要林丹想做成的事情，一定可以做到。这绝对是个误会。也许是我身上的光环太过耀眼，让人觉得我的成功来得非常容易，这肯定是错的。有人跟我说："林丹，2012年一定要赢。"我会问他们："为什么一定要赢？"

就像我的那句广告语一样，"赛场就像人生，我不可能永远占上风"。

如果有一天我离开了赛场，还有"LD"会延续我和球迷之前的情感。"LD"也许会特别潮、特别酷，但一定是带着羽毛球运动员林丹的印记。"LD"的精神还是——对年轻人来说，过程和第一步往往比结果还重要。我们都不要太现实，这个时代需要你的勇气和坚持。

2012年，我把"LD"文上了自己的后颈。就像是佐罗和字母"Z"、超人和红色斗篷分不开一样。这也是我为自己12年国手生涯留下的一个标志，而不仅仅是那些荣誉。

03
直到世界尽头

2012年，我步入了在中国羽毛球队的第12个年头。一路的荆棘与辉煌，成就了世界羽坛不可复制的"全满贯"。中国人讲究12年一个轮回，而我有时回想起来时路，也常会觉得恍若隔世，又好像仿佛就在昨天。

在后颈上文上"LD"之后，我又在左手手臂上文了一串五星，代表了全满贯。你看中国队的比赛服就知道，有的人胸前是一星、两星，目前

林丹右臂内侧的FF纹身。©东风雪铁龙

•……… 2012年2月1日，林丹参加国家羽毛球队新年联欢会时的"渔夫"造型。

我的五星已经满了。我想，即使有一天我退役了，它还会一直伴随着我。它印在我持拍的左手上，护佑着我的每一次出征与战斗。文身时阿芳问我痛不痛。是有点痛，但比起12年的国手生涯，就不算什么了。我还在右手内侧文上一正一反的两个"F"，那是献给芳芳的。

经历得多了，我渐渐变得容易怀旧了，也时常跟朋友聊起过往的趣事。这么多年来，我时常会被问到一个问题，那就是我的飞身鱼跃到底是如何练就的，有没有什么独门秘诀。这个问题连谢杏芳都感到好奇，她听到的版本是，据说八一队曾经特别训练过我。我笑道："你们也太会联想了。"以前我常跟媒体开玩笑，我说："我练过守门员，你们都不知道？"在这里，我想实话告诉大家，之所以会"飞"，一定是你的步法没有练到位。

说能"飞"那是吹牛，鱼跃救球只是一种本能。而我最初发现自己的这身"绝技"，则纯粹是因为贪玩。那时我还在八一队，运动量小，不像在国家队那么累，练完后时间还早，没事干，我就跟队友说："来，杀一个对角。"等他球杀过来的时候，我就玩一个侧空翻过去接球。当时我就是觉得好玩，也没想干吗。没办法，小时候就是调皮。

敢在正式比赛中玩这个，全世界我大概也是头一个。我记得很清楚，那是我第一次参加城运会。预赛第一场我跟郭思蔚打，那时他已经上到国家队了。结果，我把他干掉了，比赛打满了三局。第三局我领先很多，所以有一个球我就耍了这个，侧空翻了一个。我一看他要杀球，就"飞"过去蒙一个，结果还蒙到了，裁判都看傻了，那是唯一的一次。赢完他以后，

•········ 2012年3月，林丹拍摄平面广告的现场。©东风雪铁龙

•········ 林丹与现场工作人员认真讨论拍摄细节。©东风雪铁龙

我就进了男单正赛。

那次比赛特别逗。进正赛后第一场，我又赢了香港的吴蔚，也是三局赢的。那时我还在八一队呢。我赢完吴蔚，很多人都特高兴。因为他们都不愿意打吴蔚，怕输给香港选手没面子。而我把吴蔚给生拼下来了，拼完第二天又去争前八。再后来其他队那些老大哥跟我一个小孩打，体能和心理肯定会占优势嘛，结果他们把我给调戏得呀……前两天拼得太凶，后来我实在没力气了。

所以进了前八以后，8进4时我跟陈郁打了三局，输掉了。输完以后我又跟蔡赟打，那时他还打男单呢，结果我又输了。争七、八名的时候，我又输给了朱伟伦，我记得很清楚。等于我进了前八以后，就没有赢过，一直输一直输，输了个第八名。完了，比赛结束后还给我颁了一个"最佳新人奖"。

如今回想起来，可不是令人唏嘘？我说那飞身就是天生的本能。羽毛球速度越来越快，你用正常的步法已经接不到那个球的时候，只能飞出去。但是我现在的理解是，一定是你自己的意识差了一点点，判断错了，你才要"飞"。

有种观点认为现在的21分赛制更有利于"肌肉男"，因为比赛更注重速度了。所以欧洲人盖德能打到35岁，而天才技术型选手陶菲克30岁时就开始走下坡路。

对我们常年四处征战的运动员来说，不能保持系统训练的时候，力量训练是一定需要的，因为这能保护我们不轻易受伤。我们出去比赛的时候，会去酒店的健身房，自己也会带橡皮绳。橡皮绳有橡皮绳的练法，健身房也有健身房的练法。而黑人运动员一般力量和爆发力都很好，所以我有时会开玩笑说，我也要晒黑一点。

有时出席活动耽误了训练，我也至少会保持每天跑步半小时，然后在星期天的时候，把欠下的都补上。所以，即便现在站在了30岁的门槛上，我的脂肪指数依然是全队最低的，体能也不比任何人差。但我学会了如何合理分配体能。有一次队里训练折返跑，我连赢了吕轶、谌龙几

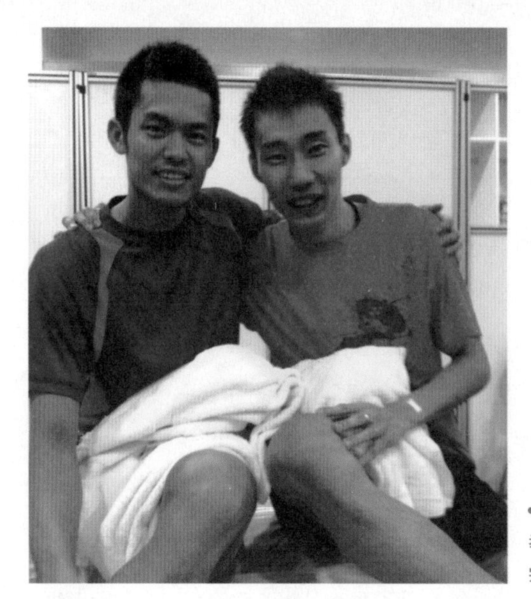

● ········· 2011年11月，在上海举行的中国公开赛后，林丹与李宗伟合影。

个小师弟，他们不服，要再比试比试。结果连续比了5个回合，都是我全胜。代价就是，第二天小腿肌肉发紧，不得不休息了三天，有点得不偿失。

怀旧是不经意的，这种不经意又往往会给你带来特别的惊喜。2012年初去参加德国赛、全英赛的时候，我在飞机上开始重温《灌篮高手》。这是我小时候除《机器猫》以外，最爱看的一部动画片，也是属于80后的共同回忆。

那时我关心的是樱木花道什么时候能进步得快点，湘北要打败陵南。我记得片头曲叫《好想大声说爱你》，那旋律很励志、很青春、很好听，让我热血沸腾。一集播完根本等不及听完片尾曲，就快进到下一集，看看樱木花道的命运又会如何。可是10年后再去看时，我发现了很多原来没有注意到的细节，也产生了完全不同的感触。就是在那班飞机上，我第一次完整地听完了片尾曲："直到世界尽头，我们也不分离，无数个夜晚，我一直这样祈盼……"画面的最后是樱木花道远去的背影，我突然觉得如果有一天我要离开曾经挚爱的球场，我留给大家的可能也是这样一幅画面吧。

有一场比赛中，"日本著名篮球中锋"赤木刚宪把脚扭伤了，医生建议他不要再上场，否则会加重伤势，甚至可能会残疾，再也打不了篮球。

•……… 2012年3月12日凌晨，全英羽毛球公开赛男单决赛，林丹胜李宗伟夺冠。英雄惜英雄，两个老对手赛后交换了球衣。©东方IC

●……… 2012年2月初，在伦敦出席劳伦斯奖颁奖典礼期间的第一顿早餐。

●……… 2012年2月，林丹在参加劳伦斯奖颁奖典礼的间隙，在附近闲逛。

●……… 2012年3月，在北京受邀拍摄纪录片。

●……… 2012年2月底到德国小城米尔海姆参加德国羽毛球黄金大奖赛，恰巧步入一家有趣的球迷酒吧。

●……… 2012年3月初在德国成功蝉联黄金大奖赛冠军。

●……… 2012年4月，从“影响世界华人盛典”上领奖回来，脱掉西装在家的林丹。

但是赤木觉得，没有什么比现在更重要，他坚持要回到场上。他不允许自己在队伍需要他的时候退出。虽然这只是动漫，但运动员真的就是这样，把荣誉看得至高无上，尤其是为了团队，更敢于去牺牲、去冒险。我想如果类似的一幕发生在奥运会上，我也一定会像赤木一样选择坚持。

这让我又想起了2012年年初在全英公开赛上的那一幕：我和李宗伟再一次一起站到了决赛场上。后场扣球、鱼跃救球、网前扑杀……两人一上场便火力全开，一如既往地精彩。我凭借一个滚网幸运球才侥幸赢下首局。当所有人都期待李宗伟会带来更精彩的第二局时，比分来到2比6后，他突然作出了一个让所有人错愕的决定——他向裁判表示，因为肩伤的关系，自己已无法继续比赛。

其实，我的不少辉煌都要感谢李宗伟的“成全”。北京奥运会，我击败李宗伟，获得第一个奥运冠军；广州亚运会，又是击败李宗伟，成就了我的“全满贯”；在全英赛上，还是李宗伟，让我成为该项赛事自1977年后35年来的首个“五冠王”……

所以，赛后我当着全场8000多名观众的面脱下球衣送给了李宗伟，他也跟我交换了他的球衣。虽然这样的情况一般发生在足球场上，但我当时也没多想，只是自然地想以这种方式表达我对这样一位对手的尊敬。当时我说：“希望今天的伤不要影响他太多，因为我们还要在奥运会中相见。李宗伟还要代表马来西亚征战世界大赛。”

后来李宗伟透露，半决赛的时候他就伤到了手臂，决赛一开始他就感到了疼痛。但正因为是跟我打决赛，他才选择了坚持。2012年5月，当李宗伟在汤杯比赛中再次因伤退赛后，我当时心里并不好受。我也跟媒体说：“对我们来说，最大的敌人不是哪个对手，而是伤病。”

喜欢、热爱、努力、付出、下滑、失败、平淡、结束……想到这里，心里有种莫名的伤感。

在中国，除了林丹，还有姚明、刘翔、李娜……就算是羽毛球界，也有太多的后起之秀。而李宗伟承担了一个国家的荣耀。

“直到世界尽头，我们也不分离，无数个夜晚，我一直这样祈盼。”Until

●……… 左臂的五星文身象征着全满贯，右臂的“Until the end of world”是林丹的态度。©李宁（中国）

-NING

the end of world，直到世界尽头。全英赛回来后，我就在右手上臂上新添了这个文身。很多人都希望林丹一直战斗下去，虽然我也会感到疲惫，但每次想到这一路上所有的荣耀，更重要的是我们这一代人对羽毛球这项运动所作的那一点贡献将伴随着后来者“直到世界尽头”，好像心里又会宽慰许多。羽毛球对我来说，不是某一个冠军，也不是某一刻的欣喜或伤心，而是从开始到结束的过程。

即便伦敦是我的最后一届奥运会，即便多年后林丹这个名字已经模糊得像一个符号，但是我还有可爱的你们。我会记得在青春似火的年纪，我们一起走过的岁月。那些共同的记忆还会延续下去，直到世界尽头。

附录：

林丹职业生涯主要赛事参赛记录一览（2000—2012.7）

年份	时间	赛事	赛果	对手及比分
2000	07 月	日本京都 · 第 4 届亚青赛	男团、男单冠军	（男单决赛）2:0 索尼（印尼）
	11 月	中国广州 · 第 5 届世青赛	团体冠军、男单季军	（男单半决赛）0:2 鲍春来
2001	07 月	世界羽毛球系列大奖赛—马来西亚公开赛	男单 1/4 决赛	0:3[1] 王友福（马来西亚）
	10 月	世界羽毛球系列大奖赛—丹麦公开赛	男单亚军	0:3 鲍春来
	08 月	菲律宾马尼拉 · 第 21 届亚锦赛	男单亚军	0:2[2] 夏煊泽
	11 月	广东 · 第 9 届全国运动会	男单亚军	1:2[3] 罗毅刚
2002	03 月	世界羽毛球系列大奖赛—韩国公开赛	男单冠军	3:1 孙升模（韩国）
2003	04 月	世界羽毛球系列大奖赛—日本公开赛	男单亚军	0:2[4] 夏煊泽
	09 月	世界羽毛球系列大奖赛—丹麦公开赛	男单冠军	2:0 陈郁
	10 月	世界羽毛球系列大奖赛—德国公开赛	男单亚军	0:2 李炫一（韩国）
	11 月	世界羽毛球系列大奖赛—香港公开赛	男单冠军	2:1 波萨那（泰国）
	11 月	世界羽毛球系列大奖赛—中国公开赛	男单冠军	2:0 黄综翰（马来西亚）
	10 月	湖南长沙 · 第 5 届城市运动会	男团、男单冠军	（男单决赛）2:0 鲍春来
2004	03 月	世界羽毛球系列大奖赛—瑞士公开赛	男单冠军	2:0 鲍春来
	03 月	世界羽毛球系列大奖赛—全英公开赛	男单冠军	2:1 盖德（丹麦）
	10 月	世界羽毛球系列大奖赛—丹麦公开赛	男单冠军	2:0 夏煊泽
	10 月	世界羽毛球系列大奖赛—德国公开赛	男单冠军	2:0 夏煊泽
	11 月	世界羽毛球系列大奖赛—中国公开赛	男单冠军	2:0 鲍春来
	05 月	印度尼西亚雅加达 · 第 23 届汤姆斯杯	冠军	中国 3:1 丹麦
	08 月	希腊雅典 · 第 28 届夏季奥运会	第一轮	0:2 苏西洛（新加坡）
	09 月	江苏江阴 · 全国羽毛球锦标赛	男单冠军	2:1 鲍春来
2005	03 月	世界羽毛球系列大奖赛—德国公开赛	男单冠军	2:0 哈菲兹（马来西亚）
	03 月	世界羽毛球系列大奖赛—全英公开赛	男单亚军	1:2 陈宏
	04 月	世界羽毛球系列大奖赛—日本公开赛	男单冠军	2:0[5] 陈宏
	07 月	世界羽毛球系列大奖赛—马来西亚公开赛	男单亚军	1:2 李宗伟（马来西亚）
	09 月	世界羽毛球系列大奖赛—中国大师赛	男单冠军	2:0 鲍春来
	11 月	世界羽毛球系列大奖赛—香港公开赛	男单冠军	2:0 鲍春来
	05 月	中国北京 · 第 9 届苏迪曼杯	冠军	中国 3:0 印尼
	08 月	美国阿纳海姆 · 第 14 届世锦赛	男单亚军	0:2 陶菲克（印尼）
	10 月	江苏南京[6] · 第 10 届全国运动会	男单冠军	2:0 鲍春来
	12 月	湖南益阳 · 羽毛球世界杯	男单冠军	2:0[7] 波萨那（泰国）

年份	时间	赛事	赛果	对手及比分
2006	01 月	世界羽毛球系列大奖赛—全英公开赛	男单冠军	2:0 李炫一（韩国）
	06 月	世界羽毛球系列大奖赛—马来西亚公开赛	男单亚军	1:2 李宗伟（马来西亚）
	06 月	世界羽毛球系列大奖赛—中国台北公开赛	男单冠军	2:1 李宗伟（马来西亚）
	07 月	世界羽毛球系列大奖赛—澳门公开赛	男单冠军	2:1 李宗伟（马来西亚）
	09 月	世界羽毛球系列大奖赛—香港公开赛	男单冠军	2:1 李宗伟（马来西亚）
	10 月	世界羽毛球系列大奖赛—日本公开赛	男单冠军	2:1 陶菲克（印尼）
	05 月	日本仙台与东京·第 24 届汤姆斯杯	冠军	中国 3:0 丹麦
	09 月	西班牙马德里·第 15 届世锦赛	男单冠军	2:1 鲍春来
	10 月	湖南益阳·羽毛球世界杯	男单冠军	2:0 陈郁
	12 月	卡塔尔多哈·第 15 届亚运会	男团冠军、男单亚军	（男单决赛）0:2 陶菲克（印尼）
2007	01 月	世界羽联超级系列赛[8]—韩国公开赛	男单冠军	2:0 陈金
	03 月	世界羽联黄金大奖赛[9]—德国公开赛	男单冠军	对手陈郁赛前退赛
	03 月	世界羽联超级系列赛—全英公开赛	男单冠军	2:0 陈郁
	07 月	世界羽联超级系列赛—中国大师赛	男单冠军	2:0 黄综翰（马来西亚）
	10 月	世界羽联超级系列赛—丹麦公开赛	男单冠军	2:0 鲍春来
	11 月	世界羽联超级系列赛—香港公开赛	男单冠军	2:1 李宗伟（马来西亚）
	06 月	苏格兰格拉斯哥·第 10 届苏迪曼杯	冠军	中国 3:0 印尼
	08 月	马来西亚吉隆坡·第 16 届世锦赛	男单冠军	2:0 索尼（印尼）
2008	01 月	世界羽联超级系列赛—韩国公开赛	男单亚军	1:2 李炫一（韩国）
	03 月	世界羽联超级系列赛—全英公开赛	男单亚军	0:2 陈金
	03 月	世界羽联超级系列赛—瑞士公开赛	男单冠军	2:0 李宗伟（马来西亚）
	06 月	世界羽联黄金大奖赛—泰国公开赛	男单冠军	2:1 波萨那（泰国）
	11 月	世界羽联超级系列赛—中国公开赛	男单冠军	2:0 李宗伟（马来西亚）
	11 月	世界羽联超级系列赛—香港公开赛	男单亚军	1:2 陈金
	05 月	印度尼西亚雅加达·第 25 届汤姆斯杯	冠军	中国 3:1 韩国
	08 月	中国北京·第 29 届夏季奥运会	男单冠军	2:0 李宗伟（马来西亚）
2009	03 月	世界羽联超级系列赛—全英公开赛	男单冠军	2:0 李宗伟（马来西亚）
	03 月	世界羽联超级系列赛—瑞士公开赛	男单亚军	0:2 李宗伟（马来西亚）
	09 月	世界羽联超级系列赛—中国大师赛	男单冠军	2:0 波萨那（泰国）
	11 月	世界羽联超级系列赛—法国公开赛	男单冠军	2:0 陶菲克（印尼）

年份	时间	赛事	赛果	对手及比分
2009	11 月	世界羽联超级系列赛—中国公开赛	男单冠军	2:0 约根森（丹麦）
	05 月	中国广州·第 11 届苏迪曼杯	冠军	中国 3:0 韩国
	08 月	印度海德拉巴·第 17 届世锦赛	男单冠军	2:0 陈金
	10 月	山东·第 11 届全国运动会	男单冠军	2:0 鲍春来
	12 月	中国香港·第 5 届东亚运动会	男团冠军、男单亚军	（男单决赛）0:2 崔镐振（韩国）
2010	09 月	世界羽联超级系列赛—中国大师赛	男单冠军	2:1 谌龙
	09 月	世界羽联超级系列赛—日本公开赛	男单亚军	1:2 李宗伟（马来西亚）
	04 月	印度新德里·第 30 届亚锦赛	男单冠军	2:0 王睁茗
	05 月	马来西亚吉隆坡·第 26 届汤姆斯杯	冠军	中国 3:0 印尼
	11 月	中国广州·第 16 届亚运会	男团、男单冠军	（男单决赛）2:1 李宗伟（马来西亚）
2011	01 月	世界羽联超级系列赛—韩国公开赛	男单冠军	2:1 李宗伟（马来西亚）
	03 月	世界羽联黄金大奖赛—德国公开赛	男单冠军	2:0 陈金
	03 月	世界羽联超级系列赛—全英公开赛	男单亚军	0:2 李宗伟（马来西亚）
	06 月	世界羽联超级系列赛—新加坡公开赛	男单亚军	林丹赛前退赛，陈金夺冠
	11 月	世界羽联超级系列赛—香港公开赛	男单冠军	2:0 陈金
	11 月	世界羽联超级系列赛—中国公开赛	男单冠军	2:0 谌龙
	12 月	世界羽联超级系列赛—总决赛[10]	男单冠军	2:0 谌龙
	04 月	中国成都·第 31 届亚锦赛	男单冠军	2:0 鲍春来
	05 月	中国青岛·第 12 届苏迪曼杯	冠军	中国 3:0 丹麦
	08 月	英格兰伦敦·第 19 届世锦赛	男单冠军	2:1 李宗伟（马来西亚）
	11 月	广东东莞·四大天王争霸赛	冠军	2:1 李宗伟（马来西亚）
2012	01 月	世界羽联超级系列赛—韩国公开赛	男单亚军	1:2 李宗伟（马来西亚）
	03 月	世界羽联黄金大奖赛—德国公开赛	男单冠军	2:0 桑托索（印尼）
	03 月	世界羽联超级系列赛—全英公开赛	男单冠军	2:0 李宗伟[11]（马来西亚）
	05 月	中国武汉·第 27 届汤姆斯杯	冠军	中国 3:0 韩国

1 2001 年 6 月，国际羽联通过改革，把羽毛球赛制由传统的三局两胜、每局 15 分制改为五局三胜、每局 7 分制。7 分制使得比赛时间缩短，比赛节奏加快，比赛的偶然性增加。7 月的马来西亚公开赛也是林丹参加的第一项顶级赛事。

2 当时亚锦赛依然保留三局两胜的 15 分制。

3 当时全运会实行 15 分制。

4 2002 年 4 月，在国际羽联理事会上，试行了一年的五局三胜 7 分制的新赛制被废除，恢复三局两胜的 15 分制。

5 第二局时陈宏退赛。

6 南京是全运会主办城市，羽毛球比赛的实际举办地在昆山。

7 国际羽联于2005年通过改革，从2006年2月1日起试用21分的新赛制，益阳世界杯是21分制的首次亮相。2006年5月，国际羽联全体代表大会投票通过21分制的改革。

8 2006年年底，世界羽联（BWF，前身为国际羽联IBF）为提升羽毛球运动的品质，对赛制作了新的改革，设立了世界羽联超级系列赛。它包括在11个国家和地区举办的12场羽毛球顶级公开赛，2012年这12项赛事按时间顺序依次为韩国公开赛、马来西亚公开赛、全英公开赛、印度公开赛（2011年开始取代瑞士公开赛）、印尼公开赛、新加坡公开赛、中国大师赛、日本公开赛、丹麦公开赛、法国公开赛、中国公开赛和香港公开赛。从2011年开始，世界羽联将韩国、全英、印尼、丹麦和中国五大公开赛从普通超级赛中分离出来，称为首要超级系列赛（Super Series Premier）。

9 世界羽联大奖赛是次于首要超级系列赛和普通超级赛的第三级别的羽毛球单打及双打赛事。大奖赛按奖金高低又分成两个级别：世界羽联黄金大奖赛、世界羽联大奖赛。

10 前身为1983年—2000年举行的国际羽联大奖赛总决赛，原本是羽坛年度大赛之一，2000年后一度停办，于2008年恢复，年末超级赛积分前八名的选手可以参加。最初总决赛只有奖金没有积分，举办时间也和中国国家羽毛球队的冬训时间相冲突，因此前几届总决赛中国队都没有派最强阵容出战。2011年，总决赛被赋予和首要超级赛相同的积分，并成为奥运积分赛的一站，国羽便派出了全部高手参赛，林丹也是首次出赛。由于此前林丹已拿遍大赛冠军，媒体便把总决赛视作林丹未曾攻克的大赛堡垒。

11 第二局林丹6:2领先时，李宗伟因伤退赛。

截至2011年年底，林丹囊括了国际羽毛球领域内所有的重要冠军头衔，缔造了前所未有的羽毛球“超级全满贯”。这些重大国际赛事包括：奥运会、世锦赛、世界杯、总决赛、全英公开赛、汤姆斯杯、苏迪曼杯、亚运会。除此之外，他还获得过洲际或全国级别所有重要的羽毛球冠军头衔，包括亚锦赛、东亚运动会（男团）、全运会、城运会和全国羽毛球锦标赛。

截至2012年7月，林丹共夺得16项羽毛球世界冠军头衔，是中国羽毛球队历史上获得世界冠军头衔最多的运动员。

夺冠次数	赛事	夺冠时间
1次	奥运会	2008
4次	世锦赛	2006，2007，2009，2011
2次	世界杯	2005，2006
5次	汤姆斯杯	2004，2006，2008，2010，2012
4次	苏迪曼杯	2005，2007，2009，2011

截至2012年7月，林丹共夺得13项羽毛球团体冠军头衔，其中国际级赛事9项、洲际赛事3项、全国级赛事1项。

序号	日期	赛事级别	赛事	举办城市
1	2003.10.21	全国	第5届城运会男团	中国长沙
2	2004.5.16	国际	第23届汤姆斯杯	印度尼西亚雅加达
3	2005.5.15	国际	第9届苏迪曼杯	中国北京
4	2006.5.7	国际	第24届汤姆斯杯	日本仙台和东京
5	2006.12.10	洲际	第15届亚运会男团	卡塔尔多哈
6	2007.6.17	国际	第10届苏迪曼杯	苏格兰格拉斯哥
7	2008.5.11	国际	第25届汤姆斯杯	印度尼西亚雅加达
8	2009.5.17	国际	第11届苏迪曼杯	中国广州
9	2009.12.11	洲际	第5届东亚会男团	中国香港
10	2010.5.16	国际	第26届汤姆斯杯	马来西亚吉隆坡
11	2010.11.21	洲际	第16届亚运会男团	中国广州
12	2011.5.29	国际	第12届苏迪曼杯	中国青岛
13	2012.5.27	国际	第27届汤姆斯杯	中国武汉

截至2012年7月，林丹共计夺得53个男子单打冠军头衔，并曾19次获得亚军。

赛事级别	冠军头衔及年份	亚军
全国	4个 （2003年城运会，2004年全国羽毛球锦标赛，2005、2009年全运会）	1个 （2001年全运会）
洲际	3个 （2010年亚运会，2010、2011年亚锦赛）	3个 （2001年亚锦赛，2006年亚运会，2009年东亚运动会）
世界	7个 （2005、2006年世界杯，2006、2007、2009、2011年世锦赛，2008年奥运会）	1个（2005年世锦赛）
国际级赛事（公开赛）	39个 （详见林丹参赛记录）	14个（详见林丹参赛记录）

图书在版编目（CIP）数据

直到世界尽头 / 林丹著 . — 南京：凤凰出版社，2012.8

ISBN 978-7-5506-1468-0

Ⅰ . ①直… Ⅱ . ①林… Ⅲ . ①林丹—自传 Ⅳ . ① K825.47

中国版本图书馆 CIP 数据核字（2012）第 167161 号

书　　名	直到世界尽头
著　　者	林丹
责任编辑	胡海杰
出版发行	凤凰出版传媒集团 凤凰出版传媒股份有限公司 凤凰出版社 北京凤凰天下文化发展有限公司
出版社地址	南京市中央路 165 号，邮编：210009
公司网址	北京凤凰天下网 http://www.bookfh.cn
印　　刷	廊坊市兰新雅彩印有限公司 廊坊市安次区银河南路 308 号，邮编：065000
开　　本	700mm×980mm 1/16
印　　张	13
字　　数	180 千
版　　次	2012 年 8 月第 1 版 2012 年 9 月第 3 次印刷
标准书号	ISBN 978-7-5506-1468-0
定　　价	35.00 元